LE PAYS DES VIVANTS

DU MÊME AUTEUR

Romans

LA FÊTE INTERROMPUE, Éditions de Minuit, 1970.
REMPART MOBILE, Éditions de Minuit, 1978.
L'OUVREUSE, Éditions Julliard, 1993.
LA ROSITA, Éditions Julliard, 1994.
LA SPLENDEUR D'ANTONIA, Éditions Julliard, 1996 (Prix Delteil.
    Prix France Culture).
LE MAÎTRE DES PAONS, Éditions Julliard, 1997 (Prix Goncourt des
    Lycéens. Prix du jury Jean Giono).
L'OFFRANDE SAUVAGE, Éditions Grasset, 1999 (Prix des Libraires).
AURÉLINE, Éditions Grasset, 2000.
LA MÉLANCOLIE DES INNOCENTS, Éditions Grasset, 2002.
    (Prix France Télévisions).
DERNIER COUTEAU, Éditions Grasset, 2004.

Récit

RUSSE BLANC, Éditions Julliard, 1995.

Théâtre

SQUATT, Éditions Comp'act, 1984.
LE ROI D'ISLANDE, Éditions Comp'act, 1990.
SIDE-CAR, Éditions Comp'act, 1990.
CINQUANTE MILLE NUITS D'AMOUR, Éditions Julliard, 1995.
ANGE DES PEUPLIERS, Éditions Julliard, 1997.
LES SIFFLETS DE MONSIEUR BABOUCH, Éditions Actes Sud-
    Papiers, 2002.

Poèmes

BORGO BABYLONE, Éditions Unes, 1997.
LA BALLADE DU LÉPREUX, Éditions Unes, 1998.
NOIR DEVANT, Éditions Seghers, 2001.

Essai

PRESQUE UN MANÈGE, Éditions Julliard, 1998.

JEAN-PIERRE MILOVANOFF

LE PAYS DES VIVANTS

roman

BERNARD GRASSET

PARIS

J'ai moins d'égard aux deuils de la chanteuse
Que de pitié pour son chant méconnu.

Poème chinois ancien.

Je ne suis pas si sûr qu'un homme ait le droit de dire ce qui est fou et ce qui ne l'est pas.

William Faulkner,
Tandis que j'agonise.

Il avait marché tout le matin dans la neige vierge sans rencontrer âme qui vive. L'espace autour de lui était blanc ou gris. Les chemins avaient disparu. Faute de repères, l'œil se perdait dans un paysage immobile. Éblouissement. Oppression. Toute activité suspendue. Nul souffle de vent. Rien que la sensation du froid humide sur les épaules, la senteur fade des congères, le crissement des chaussures de cuir qui le blessaient, un silence ininterrompu quand il s'arrêtait, hors d'haleine. De loin en loin, un arbre isolé dont la cime ployait sous le fardeau accumulé en une nuit opposait une résistance muette à cette surcharge jusqu'au moment où il la déposait d'un coup, dans un craquement de branches brisées, aussi soudain qu'une détonation.

D'après la carte, il avait plus de quarante kilomètres à parcourir à travers de vieilles forêts ou sur les versants déboisés, parsemés d'éboulis, toujours loin des routes, loin des villages, dans un milieu hostile et glacial qui n'autoriserait aucune défaillance. C'était son plan, c'était le salut. La veille, à quinze heures quinze précises, il s'était évadé du centre hospitalier où les symptômes d'une fausse péritonite avaient entraîné son transfert d'urgence. Sa compagne lui avait laissé une auto sur le parking, clé au volant, sac de survie sur la banquette, réservoir plein. Dans la boîte à gants, il avait trouvé une carte d'identité établie au nom d'un certain Martinez et assez d'argent pour tenir pendant quelques mois. Ainsi avait-il tout prévu sauf de s'enfuir à l'heure même où une tempête de neige s'abattait sur le sud du pays. Et de renverser avec la voiture un vigile de l'hôpital qui voulait lui barrer la route.

Au moment où il avait quitté la ville, l'horizon s'était obscurci. Il avait évité les voies rapides et les autoroutes, et avait roulé longtemps sur des départementales peu surveillées en direction des grands espaces vides de la Lozère. Puis il avait poussé le véhicule dans un ravin et avait grimpé à travers un bois assombri par les premiers flocons tourbillonnants. Parvenu sur les hauteurs qui étaient déjà toutes blanches, il avait découvert un paysage de landes et de petits massifs forestiers où aucune personne de bon sens – il rangeait dans cette catégorie les gendarmes qui avaient dû lancer le plan Epervier – n'imaginerait qu'un homme en fuite se risquerait sans connaître la région.

C'est ce qu'il avait fait pourtant. La tempête avait englouti les traces de son passage et rendu très improbable la rencontre de promeneurs. Sans témoins et sans poursuivants, il avait progressé jusqu'à la tombée de la nuit, puis s'était abrité sous un rocher en surplomb et avait dormi dans son duvet neuf. À plusieurs reprises, trompé par un aboiement ou un bruit de pas entendu en rêve, il s'était réveillé en sursaut et avait été long à se rendormir.

L'aube l'avait rassuré, une aube triste, sans soleil, aussi vitreuse que le hublot d'entrepont d'un de ces cargos en bout de course, qu'on devrait appeler des bagnes flottants, sur lesquels il avait trimé et laissé filer sa jeunesse.

C'était loin, tout ça. Dix-huit mois passés à piller des entrepôts et trois ans dans une centrale l'avaient séparé de cette première vie. Il ne voulait plus y penser, mais il y pensait quand même avec colère certains matins, en ouvrant les yeux.

Le froid était plus intense que la veille, la neige qui avait cessé dans la nuit tombait de nouveau. Son bonnet, son visage, ses mains, ses habits étaient glacés. Dans le sac qu'il avait cru imperméable, les boîtes de thon étaient mouillées et les biscuits, n'en parlons pas, si bien que son premier pique-nique dans la montagne avait ressemblé à un vrai repas de marin, avec quelques bouchées de neige en plus pour calmer la soif. Cependant, quand il eut fini, il avait eu la bonne surprise de découvrir un paquet de cigarettes absolument sec au fond d'une poche de l'anorak, mais pas d'allumettes ni de briquet naturellement. Un demi-miracle, c'est comme deux bons chiffres au Loto, ça ne sert à rien, mieux vaudrait avoir tout faux.

Il s'était remis en marche sans perdre de temps, droit vers ce qu'il pensait être le nord. Comme il avait perdu sa montre sur le parking, il tentait de se repérer au soleil. Mais le ciel était opaque, terne et lourd. Du sommet d'un mamelon, il regarda derrière lui le chemin parcouru. Impression étrange : l'espace s'était refermé sur ses pas. La tempête érigeait une muraille cotonneuse entre le monde qu'il avait quitté et celui vers lequel il se dirigeait à l'aveuglette. Il pensa encore une fois, toute cette neige qui tombe me rend service. Elle me cache, elle me protège, elle préserve mon avance. Dans quelques jours, lorsque le beau temps reviendra, je serai en sécurité, loin de Marseille où l'on continuera de me chercher. Car c'était dans cette ville qu'il avait ses relations et ses attaches, là qu'il aurait obtenu de l'aide, des facilités, des ressources, là que la police n'aurait pas manqué de le cueillir au petit matin.

Il progressa ainsi deux heures, trois heures, peut-être plus, ne s'arrêtant que pour délacer ses chaussures. Vers midi la voie qu'il suivait déboucha sur un à-pic, il fut obligé de revenir sur ses pas et d'amorcer un détour, mais il ne regretta pas son effort quand il vit, dans un temps soudain suspendu, un renard maigre et ses trois renardeaux qui tournaient la tête dans

13

sa direction avant de filer vers l'autre versant d'une combe. Plus loin, un grand corbeau s'envola d'un arbre mort en poussant son cri de malheur. Il lui fit les cornes avec les deux mains pour conjurer le mauvais œil.

Il était mouillé jusqu'aux cuisses, il avait les joues en feu comme s'il s'était frotté à une meule, il sentait à peine ses doigts, mais il ne doutait pas de la justesse de son plan. L'idée de se cacher dans la montagne au lieu de se rendre à Marseille lui était venue après de longues réflexions. Pourquoi tous les détenus en cavale se font-ils reprendre sinon parce qu'ils restent prisonniers d'un passé mort qu'ils voudraient ressusciter impunément? Dès qu'ils retournent à leurs vies antérieures, ils sont repérés par la police au courant de leurs habitudes. Lui, Paul-Quentin, ne commettrait pas cette erreur. Il renoncerait à ses anciennes fréquentations et changerait radicalement d'existence, au moins dans un premier temps. Plus tard, quand il ne ferait plus la une des journaux, il rejoindrait son amie à La Corogne et embarquerait avec elle pour l'Argentine, un pays qu'il connaissait. Telles étaient les pensées qui l'avaient soutenu en prison pendant des mois et qui le soutenaient encore, tandis qu'il progressait, courbé en deux, au-dessus d'un vallon où les bourrasques de neige s'engouffraient comme dans un entonnoir de feutre blanc.

Il s'arrêta soudain, le cœur battant, ayant cru entendre gémir devant lui. La plainte reprenait à intervalles, sans variation. Un marcheur égaré dans la montagne? Un chevreuil blessé? Un sanglier pris dans un piège? C'était une branche de cèdre sur le point de rompre qui pliait et frottait le tronc d'un autre arbre.

Il avait repris sa marche, les yeux mi-clos, la tête dans les épaules, plus préoccupé par son anorak trop court et ses pieds qui lui faisaient mal que par les rafales de neige. Par moments, il avait l'impression de recevoir du petit plomb dans la figure. Alors il serrait les lèvres et se couvrait le visage avec les mains.

Sa progression n'était pas régulière. Il glissait et tombait souvent. Une fois il roula dans une ravine. Retrouver son sac et le duvet parmi les buissons, remonter la pente à plat ventre exigèrent de longs efforts. Cependant, au milieu de l'après-midi, il parvint à la lisière d'un bois et il avança à couvert, plus facilement, d'un pas qu'il voulait égal, ni trop rapide ni trop court. Et toujours le regret le tourmentait d'avoir perdu la montre qui lui aurait servi de boussole.

À présent, il ne lui restait qu'à suivre à la lettre son plan. Ne pas se perdre. N'être repéré par personne. Tenir aussi longtemps qu'il le faudrait avec des provisions pour quatre jours. Puis, un soir, au terme de son équipée, si la chance était avec lui, il parviendrait en vue d'une habitation isolée, sur une hauteur, il attendrait la nuit noire pour s'en approcher et il sifflerait un certain air d'une certaine façon. Alors, un colosse au nez plat, qui devait être un très vieil homme maintenant, crierait : « Qui est là ? » à travers la porte. « Vite, Kochko, répondrait-il, je n'en peux plus. » Et l'ancien boxeur ouvrirait et le serrerait dans ses bras. Oui. De cela, au moins, il était sûr : il y avait là-bas, à trois jours de marche ou davantage, sur une terre perdue, un ami qui le cacherait aussi longtemps qu'il serait nécessaire, sans lui poser de questions.

Les flocons tombaient devant lui, escamotant le paysage. La neige collait aux semelles et rendait la marche pénible. Toutes les deux ou trois minutes, il s'arrêtait et humait le froid, ne sachant quelle voie prendre.

Vers le milieu de la journée, la douleur devint intenable. Il s'assit sur un bloc de neige et dénoua les lacets de ses chaussures. C'est à peine s'il pouvait poser la main sur le dessus de ses pieds enflés. Sous la chaussette de laine molle, la chair était à vif, comme frottée au papier de verre. Il repoussa la tentation de se déchausser, se contenta de soulever l'épaisse languette de cuir et d'appliquer de la neige sur la brûlure.

Il marcha de plus en plus difficilement jusqu'à la fin du jour. Lorsque la lumière baissa, il chercha un endroit pour passer la nuit, mais il ne trouva aucun refuge, pas même le précaire abri d'un arbre abattu, si bien qu'il continua d'avancer dans les ténèbres jusqu'au moment où il tomba dans un trou et il y resta, n'ayant pas la force d'en remonter. Il parvint néanmoins à saisir le duvet accroché au sac et à se glisser à l'intérieur. Alors il se réchauffa peu à peu et le sommeil lui vint en aide.

Il se réveilla dans la nuit, alerté par un bruit de cloche sur les hauteurs. Tout était noir. Il n'y avait ni terre ni ciel, rien que le bruissement de la neige aveugle qui dégringolait sans discontinuer sur le pays. Il comprit qu'il avait rêvé, la cloche appartenait à une autre époque de sa vie, quand il avait le bras juste assez long pour atteindre la cordelette qui la faisait retentir sur le seuil d'un pavillon éclairé par une lanterne multicolore. À peine avait-il relâché le cordon qu'une vieille femme lui ouvrait la porte.

— Tu es tout mouillé, mon petit. Viens vite te réchauffer. Je t'avais préparé des crêpes hier. Pourquoi n'es-tu pas venu ?

— J'étais puni.

— Il devait y avoir une raison.

— Un grand m'a poussé dans les escaliers.

— Et alors ?

— Je lui ai donné un coup de cutter.

— Tu sais bien qu'on n'a pas le droit. Pourquoi tu as fait ça ? Tu as eu peur d'avoir le dessous ?

— Oui.

— Il faut savoir perdre parfois. On ne peut pas toujours être le plus fort. D'ailleurs le plus fort, ça n'existe pas. Chacun dépend de tous les autres. Lave-toi les mains pendant que je te sers...

Maintenant qu'il était bien réveillé, il lui semblait que la tourmente diminuait. Qu'elle s'éloignait. C'était lui qui n'y prêtait plus attention, réconforté par le souvenir de la seule personne qui avait su lui parler autrefois, ne pas toujours lui donner tort, ne pas le punir, la seule aussi à lui prêter de l'argent quand il avait quitté la France. Et la mort de sa grand-mère, qu'il avait apprise à l'étranger, l'avait affecté plus qu'aucune autre dans sa famille, car elle lui enlevait l'espoir de payer un jour sa dette au centuple, de revenir les mains pleines de cadeaux et de faire sonner à la volée la clochette du pavillon. Pourquoi était-il allé d'échec en échec ? À quel moment s'était-il trompé de voie ? Trompé de vie ? À vingt ans, quand il s'était embarqué sur un vraquier ? Ou, beaucoup plus tôt dans sa jeunesse, le jour où il s'était défendu avec un cutter ?

De nouveau il grelottait dans son sommeil et tirait le capuchon sur son visage. « Bois, mon vieux, et réchauffe-toi, te voilà tiré d'affaire. » C'était Kochko qui lui tendait un bol de vin. « Ne crois pas que j'ai oublié, lui disait-il. Où étais-tu pendant toutes ces années ? J'étais sans nouvelles de toi. »

Il leva la main vers le vin chaud, sentit la glace sous ses doigts et la vision se dissipa.

À son réveil, il ne neigeait plus. Froid intense. Léger vent du nord. Nuages couleur de fumée traversant à la queue leu leu un ciel qui passait insensiblement du rose au gris clair. Devant lui, à perte de vue, une immensité monotone, blanche, figée, silencieuse.

Il mangea une boîte de thon, un paquet de petits-beurre, une plaquette de céréales et des pâtes de fruits avant de retirer le transistor du sac humide et de chercher France Info. Il trouva la station rapidement, mais le son était brouillé, presque inaudible : « La Drôme, l'Ardèche, le Gard se sont retrouvés... Fils électriques par terre... Villes privées de téléphone... On ne compte plus les interventions... Notre correspondant en Lozère... T.G.V. arrêtés en pleine voie... Poids lourds bloqués sur l'autoroute du Soleil... Plan Orsec... Cellule de crise... L'opposition s'indigne... Encore une fois le gouvernement a fait preuve... Intervention du ministre des Transports d'un moment à l'autre... En direct sur nos antennes... Merci d'être venu... »

Il écouta les nouvelles sans réagir, rangea l'appareil et repartit dans la direction qu'il croyait la bonne, toujours vers le nord.

Ses chevilles avaient enflé pendant la nuit. Les écorchures de ses pieds s'étaient transformées en plaies ouvertes. À chaque pas, le cuir frottait la chair aux mêmes endroits, la douleur était atroce. Après un ou deux kilomètres, il dut s'arrêter longuement et se masser de nouveau le dessus des pieds avec de la neige. Dès lors, il ne cessa plus de faire des haltes.

Il n'était pas inquiet. Il se répétait qu'il pouvait prendre son temps, que rien ne pressait. Après tout, il avait gagné la première manche. Non seulement on devait le rechercher de l'autre côté du Rhône, dans un autre département, mais la violence de l'intempérie créait d'autres priorités, d'autres urgences. Si le plan Orsec avait été déclenché, le sort d'un détenu en cavale, fût-il assassin, ne comptait plus en regard des populations à secourir.

Une légère euphorie l'envahissait, liée à la solitude, au silence, à la marche dans le froid vif. Il lui semblait que la longue tempête de neige avait fait table rase des événements qui l'avaient précédée. Tout ce qu'il avait accompli avant sa fuite, tous ses gestes, toutes ses actions, y compris la course sur le parking, appartenaient à un temps inactuel, sans valeur, qu'il devait oublier.

Les nuages s'étaient dispersés. Il s'efforça de suivre dans la poudreuse une ligne imaginaire, plus ou moins parallèle à celle des crêtes qui scintillaient sous le soleil. Bientôt la neige lui brûla les yeux. Il se rappela un peu tard qu'il avait des lunettes noires dans une poche de son sac. Il les sortit et les ajusta. Elles étaient larges, robustes, avec une monture de plastique rouge qu'il n'aurait jamais choisie s'il avait fait l'achat lui-même. Les verres marron donnaient au paysage une tonalité café au lait, apaisante et crépusculaire. Vers le milieu de la journée, alors qu'il peinait sous une lumière irréelle, il lui sembla que l'espace ne se renouvelait plus mais se dilatait à l'infini. Son expérience de marin ne l'aidait pas. Il avait affronté les mers les plus dangereuses du monde et savait comment réagir dans les ouragans. Mais la menace de la montagne se révélait sournoise et masquée. Impossible à maîtriser.

Des images, des peurs, des obsessions lui revenaient. À l'occasion de sa première traversée du Pacifique sur un cargo, il avait failli disparaître dans un cyclone. L'année suivante, à bord d'un autre bâtiment, il avait sauvé la vie d'un homme tombé à la mer. C'était Kochko.

Déjà le soleil descendait derrière les monts. La lumière oblique détachait le contour des pentes désertes. Se voyant seul au milieu du paysage démesuré, il se mit à douter de ses propres forces. Et le doute était plus décourageant que le froid, plus douloureux que les gerçures.

Il compta les jours véritablement heureux de sa vie et les opposa aux journées qu'il avait passées en prison. Les chiffres s'embrouillaient, ses calculs ne tombaient pas juste, il se sentait gagné par le sommeil. Tandis qu'il luttait pour garder les yeux ouverts, son pied droit heurta une pierre en équilibre sous la neige et il se tordit la cheville. Douleur aiguë comme d'une aiguille perforant l'os. Il voulut continuer mais trébucha sur un nouvel obstacle qu'il n'avait pas vu et s'écroula, la face en avant. Ses mains fouillèrent la neige, palpèrent l'écorce vivante d'un très grand cèdre que la tempête avait couché le long d'une pente. Il sentait le tronc plein de sève sous lui comme le plancher d'une barque qui l'emportait à travers la terre, les arbres, le ciel, les tourbillons épais de la neige, la nuit sans contour.

De nouveau la clarté acide de l'aube le réveilla. Il avait faim. Il avait froid. Il avait envie de fumer et de se trouver ailleurs. Il ne savait pas où il était. Ni quelle distance il lui restait à parcourir. Sa cheville droite était énorme.

Il pissa sur la glace vierge, mangea du thon avec des biscuits, suça un morceau de neige, puis il jeta le transistor pour s'alléger, boucla son sac presque vide et décampa.

Plusieurs voies s'offraient à lui. Il opta pour un versant en pente douce qui lui semblait dans la bonne direction. Il marcha sans boussole ni montre vers ce qu'il pensait être le nord-ouest. Au milieu de l'après-midi il comprit qu'il s'était trompé et il rebroussa chemin. Une croûte de sang recouvrait le dessus de ses pieds enflés. Ses paupières lui faisaient mal. Mais la neige était colorée en marron, le ciel était vert. Rien n'était encore perdu.

Garder des forces était devenu sa hantise. Il parlait à haute voix, il sifflait, il se racontait des voyages. Il croyait s'être évadé depuis des mois. Il confondait les dates, les jours, les saisons. Il se rappelait une Chinoise qui riait en faisant l'amour chaque fois qu'il tentait de dire son nom avec un accent français. Lui ne riait pas, mais tremblait de ne pas savoir en jouir. Il était si jeune alors, avec tellement d'illusions. Lui avait-il ou non proposé de la ramener en France avec lui ?

Avec des branches de sapin, il se fit deux bâtons de marche. Il vacillait entre ces cannes comme un convalescent entre des béquilles. Quand il s'était traîné un moment, il s'arrêtait, le souffle court, et regardait les traces laissées dans la neige dure. Il se disait, j'aime mieux me perdre que de retourner au mitard. Mon plan était bon, c'est ce type sur le parking qui a tout gâché. Qu'est-ce que ça pouvait lui faire que je m'évade ? Pourquoi m'a-t-il barré la route ?

Il revoyait le corps projeté par le capot et la tête heurtant une borne. Il entendait une sirène dans le lointain. Ses pensées étaient éparses, tourbillonnantes. Au-dessus de lui des sampans chargés de glace avaient envahi le ciel de pistache. Il ne s'en étonnait pas mais aurait voulu monter à bord. Impossible. Ils filaient trop vite. Poussés par un vent d'altitude, les nuages maintenant formaient un cargo dont les fumées noires s'enroulaient autour du soleil. Il criait : « Ohé ! Ohé ! La Chinoise, viens avec moi ! » Le bateau sombra lentement tout au long de l'après-midi dans le silence et la solitude. Quand un dernier rayon eut fini d'éclairer l'ultime morceau de l'épave, la nuit arriva aussi vite qu'une main froide posée sur le front d'un fiévreux. Il admit que sa chance avait tourné, qu'il avait joué à un jeu mortel et avait perdu. Il se dirigea vers un lit de neige entre deux rochers et se glissa dans le duvet humide en claquant des dents. Dès qu'il fut couché sur le dos, il entendit la pulsation de son sang dans les oreilles. Il changea de position et se retrouva face à un animal menaçant, mi-ours, mi-cheval. Dans la lutte qui s'ensuivit, la bête lui arracha un pied, puis elle s'éloigna dans le brouillard...

Il se rendit compte qu'il avait dormi lorsqu'il perçut un grondement accompagné d'une sonnerie intermittente. Il se redressa sur un coude pour écouter. Cette fois il ne rêvait pas. Le son provenait d'une direction très précise. Tantôt assez proche, tantôt plus lointain, il se poursuivait avec une régularité surprenante. Un moteur dans ces solitudes, comment était-ce possible?

Il repoussa le duvet tiède et fit quelques pas dans le noir. Au loin, une clarté jaune perçait le brouillard. La lumière se déplaçait avec le bruit. Une seule explication : les phares d'un engin de déblaiement! Mais s'il y avait là-bas une voie que l'on dégageait, il était sauvé!

Quand le jour se leva, il acheva ses provisions et se mit en marche, appuyé sur les bâtons. La distance à parcourir était beaucoup plus grande qu'il ne l'avait cru, car il fallait descendre dans un ravin. Il pouvait à peine poser le pied sur le sol durci par le gel, mais rien n'était plus pareil et le ciel bleuissait rapidement.

Pas d'erreur : la route était devant lui. De part et d'autre de la chaussée, un bulldozer avait repoussé des congères de la taille d'un bungalow. La voie dégagée s'enfonçait comme un couloir entre les parois de neige compacte. Il dévala sur le dos la pente d'un gros talus, lâcha ses bâtons et se retrouva sur une chaussée verglacée, entre de hauts murs. Un véhicule, tous feux allumés, s'approchait dans un cliquetis de chaînes raclant le sol. Ce pouvait être les gendarmes. Il remonta un pan d'anorak sur sa bouche et se prépara à laisser passer l'auto devant lui. Nom de Dieu! Elle avait le volant à droite!

Deux minutes plus tard, assis à l'arrière de la voiture, en réponse à une question directe du conducteur, il déclarait vouloir se rendre à Pierrefroide où il était attendu.

— Nous n'irons pas si loin, dit l'homme avec un fort accent anglais. Nous vous laisserons à La Fourche, n'est-ce pas?

Paul-Quentin approuva en grommelant et ferma les yeux. Le confort de la voiture l'assoupissait. Il n'en pouvait plus.

— S'il n'y avait pas eu la tempête – et cette fois c'était la femme qui parlait sans aucun accent étranger – nous serions loin d'ici. Mais la radio conseille de reporter les longs voyages à cause de l'état des routes.

L'homme ajouta :

— Vous dites en français « partie remise », n'est-ce pas ?

Comme le passager ne répondait pas, la femme reprit :

— On ne se plaint pas de rester quelques jours de plus, la région est si belle en cette saison. Heureusement notre prochain concert est en janvier.

Il entrevit un monde où l'on faisait de la musique et du tourisme, où l'on se confiait au premier venu, où l'on était libre de son temps. Mais il avait du mal à garder les yeux ouverts. La chaleur l'anesthésiait. Les voix se perdaient dans un gazouillis de volière tropicale.

— Vous habitez ici toute l'année ? suggéra la musicienne en tournant de nouveau vers lui un visage bienveillant.

Il comprit qu'on lui demandait de payer son écot et que c'était à son tour de gazouiller. Mais aucune parole ne lui venait. Il réussit à émettre un bruit de gorge qui pouvait être interprété de plusieurs façons.

— C'est une région *magnific*! dit le conducteur désireux de tendre une perche à son passager silencieux. Ma femme qui est parisienne ne
la connaissait pas. Nous l'avons découverte cet
été grâce à Internet.

— Nous sommes revenus cette semaine et
nous avons acheté une ferme avec une grande
salle voûtée.

— Très très bon pour la *miusic* de chambre!

Il estima qu'il n'avait rien de mieux à faire
que de renouveler ses grondements approba-
teurs et il se redressa pour distinguer l'horloge
du tableau de bord. Onze heures cinq. Si tout se
passait bien, il serait à Pierrefroide dans l'après-
midi. Il reverrait Kochko au coucher du soleil.

— Voilà. Nous y sommes. C'est La Fourche!

À l'approche du village, le conducteur
freina trop fort, la voiture poursuivit sa trajec-
toire comme sur des rails avant de s'immobili-
ser en douceur contre un talus.

— Nous vous laisserons ici, n'est-ce pas?
Vous n'êtes pas loin maintenant.

Il reprit son sac et fit quelques pas sur la
neige. L'homme sortit de l'auto pour lui serrer
la main. Il ne s'attendait pas à ce geste et

recula, sur la défensive. La femme lui cria au revoir par la portière. L'Anglais se remit au volant et lui adressa un dernier salut de la main tandis que la voiture s'éloignait vers le village.

Le froid était vif. Une lumière grise baignait la montagne silencieuse. Le soleil ne transperçait les brouillards que par endroits et pour peu de temps. Une pancarte enfouie dans la neige indiquait Pierrefroide à neuf kilomètres. Autant dire le bout du monde. La route s'élevait entre des bosquets de sapins. Seul le milieu de la chaussée avait été dégagé sommairement par la pelleteuse. Aux endroits où l'engin était passé, des ornières de verglas s'étaient formées.

Paul-Quentin avança à petits pas sans croiser personne. Vers midi il arriva en vue d'une grande bâtisse au toit d'ardoise dont plusieurs fenêtres étaient éclairées. Devant le perron, sur un large terre-plein, des enfants en anoraks s'affairaient autour de bonshommes de neige, alignés en demi-cercle. Outre le sempiternel

Père Noël emmailloté dans des chiffons rouges, qui portait une poubelle de plastique en guise de hotte, il y avait un pirate borgne, coiffé d'une casserole, et une sorcière à tête de courge.

Plus loin, sous les grands arbres espacés, un autre groupe, réparti en deux camps, se livrait à un combat de boules de neige. Parfois un projectile s'écrasait sur une face surprise. L'enfant touché secouait la tête pour se débarrasser des glaçons qui glissaient le long de son cou. Et il ravalait ses larmes en silence.

À l'écart de l'agitation, deux garçons faisaient bande à part. Le plus grand dessinait sur la neige avec un bâton, l'autre examinait l'intérieur de ses mains rougies par le froid et hochait la tête. Quelque chose clochait, cela sautait aux yeux, mais quoi au juste ?

— Hé ! Je suis bien sur la route de Pierrefroide ? cria-t-il à l'adresse des deux garçons, moins pour obtenir une confirmation que pour faire cesser un malaise.

L'enfant aux mains rouges continua son petit jeu si c'en était un, sans réagir. L'aîné, tendant son bâton à l'inconnu, l'invita d'un geste à écrire sur le sol. Il traça un seul mot en lettres énormes : KOCHKO.

Le visage de l'enfant exprima tout à la fois la joie de comprendre la question et une certaine tristesse. Il se mit à boxer le vide de ses petits poings, preuve que Kochko lui était connu, puis il partit en courant vers la bâtisse. Une scène muette se déroula sur le perron entre l'enfant et un moniteur. Le garçon s'exprimait avec véhémence dans le langage des signes. L'adulte observait de loin l'homme sur la route et semblait poser des conditions. L'enfant revint, flanqué d'un plus grand.

Dans le parc, la bataille de boules de neige continuait silencieusement.

Il peinait à suivre les gamins qui coupaient à travers les bois. Cette fois il touchait au but. Il s'attendait à voir surgir l'habitation de son ami derrière les arbres et il se demandait s'il reconnaîtrait le colosse d'autrefois dans le vieil homme. Et si Kochko n'était pas en état de le recevoir, s'il avait perdu la mémoire?

Il faisait tant d'efforts pour ne pas être distancé qu'il ne s'inquiéta pas de quitter soudain la forêt et d'avancer plus facilement sur un terrain plat, au milieu de sépultures. Ses deux guides s'arrêtèrent devant une tombe qui n'était qu'un tertre de neige surmonté d'une croix de bois.

Le pays des vivants

Une plaque de marbre portait l'inscription :

RAINER ZSCHOKKHE,
« KOCHKO »
1931-2000
Si peu de jours au pays des vivants

Tant que les enfants se tinrent près de lui, Paul-Quentin resta debout devant la tombe, le visage fermé, les mains froides, la tête vide. Dès qu'il fut seul, il déposa son sac entre les croix et s'assit dessus. Il avait affronté la tempête pour rien. Qui le cacherait à présent ? Tout son projet tombait à l'eau. Pour la première fois il regrettait de ne pas avoir filé à Marseille.

Il aurait aimé s'attarder dans le cimetière, le temps de se reposer et de prendre une décision, mais un homme à grosse moustache, vêtu d'une peau de mouton et coiffé d'un bonnet informe, s'était mis à dégager les allées avec une pelle en lui jetant des regards furtifs. Manifestement l'employé était plus intéressé par le visiteur que par son travail. Mieux valait déguerpir.

— Vous avez trouvé la tombe que vous cherchiez ? demanda le moustachu d'une voix douce et flûtée, une voix de petite fille curieuse.

— C'est un homme que je cherchais, pas une tombe.

— Hé! Il arrive que l'un n'aille pas sans l'autre! Ici en particulier. J'ai l'œil, vous savez! Tout de suite j'ai vu que vous n'étiez pas du coin...

— Et alors?

— Alors, ça m'a fait plaisir de savoir qu'on vient de loin visiter notre cimetière. Bichon ne tient pas le Grand Registre. Ce n'est pas lui qui fait tourner la Grande Roue. Il n'est qu'un exécutant. À peine plus qu'une fourmi. Mais il met les morts à leur place avec le respect qu'ils méritent. À chacun le trou qu'il lui faut. Ni trop large ni trop étroit. Et là-dessus une bonne coulée de terre souple, débarrassée des cailloux qui font du bruit. Si vous saviez comme la mort va vite, monsieur. Aussi vite que l'orage dans la montagne. L'oubli va plus lentement, mais il finit par la rejoindre. À ce propos, si vous souhaitez des renseignements au sujet de monsieur Kochko, ils sont ici.

En disant ces mots, le moustachu se tapota le front du bout des doigts pour indiquer l'emplacement de ses archives personnelles. Paul-Quentin ne répondit pas.

— Vous ne voulez pas savoir, monsieur, comment est mort votre parent ou votre ami ? Et comment on l'a enterré ? Pourtant, pour venir ici, il faut le vouloir. Nous sommes à l'écart des grandes routes.

Sans attendre une réponse qui ne venait pas, l'homme planta sa pelle dans la neige, retira son bonnet, le glissa dans la poche de sa canadienne et se mit au garde-à-vous.

— Marcel Bichon. Cantonnier des cinq communes et fossoyeur à l'occasion. Tous les cercueils de la montagne passent par mes mains. Pas plus tard que l'été dernier, à la mi-août, une femme qui n'avait jamais voulu parler à Bichon – soi-disant qu'il n'était pas de son monde – s'est « îledrocutée » en plongeant de haut dans le lac. Et c'est moi qui ai creusé son trou avec cette pelle que vous voyez. Histoire d'amour, on a dit. Moi je veux bien.

— Vous avez connu Kochko ?

— Si je l'ai connu ! Qui l'aura connu mieux que Bichon, à part la Faustine ? Tout de suite j'ai vu que c'était quelqu'un qui avait voyagé. Il parlait les langues et savait des choses qu'on ne trouve pas dans les livres. À moins de lire entre les lignes ! J'ai

42

été le premier à le conduire à Pierrefroide. Il disait qu'il avait les poumons troués et qu'il recherchait le bon air. Ici, le bon air, c'est tout ce qu'il y a. Si vous aimez l'amusement, faut prendre le train de Paris. Et de maison à vendre, il m'a coupé, vous n'en auriez pas dans le coin? Je lui ai montré une ruine dans les hauteurs. Vous ne l'auriez pas achetée pour vingt mille francs, je parle en anciens. Faut croire qu'il était pressé de le respirer, le bon air! Il avait l'argent, il a payé sans marchander et le notaire a donné son coup de tampon. Et vous savez ce qu'il a fait, Kochko, les jours suivants? Il m'a demandé de l'aider après mon travail. Ensemble nous avons remonté les quatre murs, refait le toit et l'isolation. Quand il avait besoin de planches ou de sacs de plâtre, il prenait la camionnette qu'il appelait « piqueupe » – jamais su pourquoi – et il allait chercher ce qu'il lui fallait à Mende pendant que Bichon continuait de fignoler. Toute la plomberie, c'est moi, et le devant de la cheminée! Pour le potager, je lui ai apporté du terreau en vrac et ses premiers plants de tomates... C'est comme ça qu'il est devenu mon ami...

— Très bien!

— Ne partez pas! Je ne vous ai pas dit le meilleur. Nous avons eu la belle vie pendant trois ans. On se voyait comme qui dirait tous les soirs, pour la partie de dominos. À tous les jeux, c'était un as, mais jamais d'argent entre nous. Il me racontait ses voyages, ses aventures. Même des histoires de femmes. Il avait assez d'argent pour ses fantaisies. D'où il le sortait, le diable devait le savoir. Moi, figurez-vous, je l'enviais de ne pas avoir tous ces trous à creuser et ces morts à mettre dedans. Et puis Faustine est arrivée. Ils s'étaient connus à Marseille et n'avaient pas eu le temps de s'aimer. Tous les trois mois, il se mettait en tête de la ramener, il partait tôt et il revenait bredouille le lendemain. Soi-disant qu'elle n'était pas prête à le suivre. Qu'elle n'était pas sûre de l'aimer. Ce genre de choses. Jusqu'au jour où j'ai fait le voyage avec lui et ça leur a porté bonheur. Oui, monsieur, comme je vous dis. Vous n'imaginez pas la fête que ça a été quand on est arrivés de nuit tous les trois à Pierrefroide, avec la lune qui étincelait comme du métal et Bichon qui soufflait dans l'harmonica. Pour Kochko, ça a été trois ans d'amour fou. Puis il m'a joué un tour de cochon.

— Qu'est-ce qu'il vous a fait?

— On l'a trouvé mort sur sa chaise devant la maison, la semaine où Bichon avait pris un congé pour se rendre au salon du funéraire. Il y a des gens qui ne tiennent compte de rien et qui meurent quand ça leur chante... Attendez, je n'ai pas fini...

Paul-Quentin s'éloignait en boitillant sans dire au revoir. Bichon qui avait rajusté son bonnet et repris sa pelle, lui cria de sa voix de fille :

— Quand vous aurez parlé à Faustine, passez me voir. J'habite à La Fourche. J'aurai des souvenirs à vous montrer. À propos, c'est quoi votre nom ?

— *An artinez*...

— Jean Martinez ? C'est espagnol ? J'avais pensé que vous étiez chinois.

Au-delà du cimetière, la petite route en lacets n'avait pas été dégagée. Il restait six kilomètres à parcourir. Plongé dans la neige jusqu'aux genoux, Martinez – pour le désigner par le nom qu'il s'était donné – faisait dix pas, douze pas, rarement plus, puis il s'arrêtait et reprenait souffle. Parfois, avant de repartir, il se retournait et cherchait du regard le soleil blanc qui flottait derrière les brumes comme une méduse

Sa première vision de Pierrefroide, il l'eut au moment le plus favorable, dans la lumière du couchant. Ce fut un instant d'illusion, une brève carte postale, tel un signe de bienvenue que Kochko lui aurait adressé à titre posthume. Tout de suite la lueur s'éparpilla. Le soleil s'affaissa au fond de l'espace. Des quatre maisons du hameau, il vit qu'une seule était restaurée. Façade de pierre, volets clos, terrasse d'angle recevant la clarté oblique du soir. Fumée grise sortant de la cheminée.

Il ne s'avança pas tout de suite. Quelque chose le retenait, qui n'était ni la déception ni la peur. Il avait mystifié un médecin et fauché un vigile sur un parking dans le seul but de gagner cet endroit du bout du monde où personne ne l'attendait. Devant lui, la neige, le ciel, la maison avec son filet de fumée, tout était inexorablement présent, tout lui était étranger, comme était présente, étrangère et inexorable la montagne en forme de fer à cheval qui dominait le hameau et d'où soufflait un air glacial.

« Je n'irai pas plus loin, marmonna-t-il. Je dormirai ici cette nuit. Que cela plaise ou non à cette Faustine. Tout aurait été si simple si Kochko n'était pas mort. »

Il arrangea son sac à dos dont une boucle s'était défaite et il s'approcha de la maison en traînant la jambe. Sept petites marches d'ardoise conduisaient à une longue terrasse verglacée. Il s'avança précautionneusement entre de hautes jarres couvertes de neige.

48

Debout sur le seuil, il écouta. Par la porte entre-
bâillée s'échappait une valse lente au piano.

Une minute s'écoula, peut-être moins. La
valse finit. Applaudissements. Une voix d'homme annonça... « dans le cadre des concerts de
Radio France... une sonate de Schubert ». Il y
eut un grésillement. Et soudain le piano reprit,
plus rapide, plus incisif...

— Vous cherchez quelqu'un, monsieur ?

Il n'avait pas vu surgir de derrière la maison
une grande et belle femme en blue-jean qui
portait cinq ou six bûches dans les bras.

— Vous êtes Faustine ? demanda-t-il pour
gagner du temps.

— Que désirez-vous ?

Elle parlait d'une voix lente, calme, grave,
avec juste ce qu'il faut de curiosité pour ne pas
paraître impolie, mais pas un centime de plus.

— J'étais un ami de Kochko.

— Un ami ? Il n'en avait pas tellement.

— Nous nous sommes perdus de vue il y a
longtemps...

— Kochko ne cherchait pas à revoir ses
anciennes relations. Nous avons été peu nombreux à ses obsèques.

Plantée sur ses jambes très légèrement écartées, elle le considérait d'une manière peu

engageante. La rencontre commençait mal. À l'évidence cette femme-là ne se laisserait pas impressionner par des biceps. Il fallait l'émouvoir ou rester dehors. Cependant la musique de piano continuait dans la maison. Le soleil avait disparu et il faisait froid.

— J'ai appris sa mort ce matin en voyant sa tombe, murmura-t-il. Si j'avais été au courant, je ne me serais pas mis en route...

Il recula pour s'adosser à une des jarres de la terrasse. Dans l'obscurité grandissante elle suivait ses gestes avec l'attention d'une femme sur le qui-vive.

— C'est arrivé quand? demanda-t-il en fermant les yeux.

— Bientôt un an.

Il se passait la main sur les joues comme pour cacher son visage sale et hirsute. La conversation l'épuisait. Soudain il s'affaissa le long de la jarre et tomba assis sur la glace... Il comprit qu'il avait perdu connaissance quand la femme lui demanda s'il avait besoin de son aide.

— Nnnon... Ce n'est pas la peine...

Il se releva en prenant appui à la jarre. Faustine n'avait pas bougé et le regardait par-dessus son petit chargement de bois.

— On se gèle ici, dit-elle soudain. Ne restons pas là !

Elle se dirigea vers l'entrée de la maison et poussa la porte du pied. Il la suivit dans une pièce chaude, peu éclairée, qui servait de cuisine et de salle de séjour.

— Asseyez-vous ! J'en ai pour une minute.

Calmement, méthodiquement, elle déposa le bois à côté du poêle brûlant, éteignit la radio, prit un sucrier dans un placard, des verres et une bouteille sur un buffet.

— Vous allez croquer un sucre et prendre un petit remontant, cela vous fera du bien. Enlevez votre anorak, il fait chaud ici. Vous avez souvent des malaises comme celui-là ?

— Non.

Il était étourdi par la chaleur et regardait autour de lui avec des yeux mornes. La pièce était grande, presque carrée. Une fenêtre au-dessus de l'évier laissait entrer le crépuscule. Une porte peinte en bleu donnait vers l'intérieur de la maison.

— C'est Kochko qui a installé les étagères que vous voyez. Il y a de petites imperfections. Vous n'êtes pas ébéniste, au moins ?

— Non.

51

Il croqua les deux morceaux de sucre blanc qu'elle avait posés sur une soucoupe et la regarda déboucher l'apéritif. Elle avait une peau de blonde, avec des flocons d'avoine jetés en pluie sur les avant-bras.

— Qu'est-ce que vous avez fait à votre pied?

— J'ai glissé.

— Vous venez de loin?

La question semblait naturelle, mais elle le mit sur ses gardes. Sans répondre directement, car toute indication pouvait le trahir, il prétendit être parti la veille en voiture avec des amis qui l'avaient laissé à La Fourche. Elle lui jeta un regard dur, presque sévère, qui suscita sa méfiance, puis elle servit le quinquina.

La nuit était arrivée à présent. La cheminée projetait une lueur rousse dans toute la pièce. Faustine s'était assise en face de lui, sur le grand côté d'une table rectangulaire. Ils saisirent leur verre en même temps, sans oser trinquer. Pour la première fois, après qu'il eut bu, il la dévisagea ouvertement : des pommettes hautes, de grands yeux clairs, des joues qui se coloraient de rose facilement, le regard triste et libéral d'une femme qui n'ignorait pas de quel côté du pré court le bonheur.

— C'est le cantonnier qui vous a parlé de moi ? demanda-t-elle en posant son verre aux trois quarts plein sur un napperon.

— Le fossoyeur, oui.

— Maintenant je comprends mieux. Vous aviez projeté de rendre visite à l'ami d'autrefois et vous comptiez loger chez lui. Mais Bichon vous aura averti que je ne suis pas commode....

— Je ne sais plus ce qu'il a dit. Il a tellement parlé. Je suis fatigué. Je dormirais n'importe où avec mon duvet. Mais j'aimerais mieux avoir un toit. Et un mur derrière moi pour couper le vent. Peut-être qu'un de vos voisins me louerait un coin de garage.

— Je n'ai pas de voisin et vous le savez. Bichon vous a dit que je vis seule. Il m'a téléphoné tout à l'heure pour m'annoncer votre passage.

— Ah ! Vous étiez prévenue de mon arrivée ?

— Oui.

— Et vous ne vous êtes pas barricadée ?

— Pourquoi ? J'aurais dû le faire ?

— Beaucoup le font.

— J'ai connu une femme qui tremblait chaque fois que quelqu'un sonnait à sa porte.

Elle avait quelque raison de se sentir menacée, mais tout de même! Elle ne vivait plus. Et sans doute qu'elle serait morte de peur à l'heure qu'il est si on ne l'avait poussée hors de sa folie.

— Drôle d'histoire.

— Vous pouvez le dire, monsieur Martinez. C'est ça, je ne me trompe pas, Bichon a bien retenu votre nom?

— Parfaitement.

— En fait, comme tout le monde, moi aussi j'aime avoir un mur dans le dos. Au moins on sait que, de ce côté-là, il ne peut rien vous arriver. Je vous ai vu marcher sur la route. J'ai suivi votre progression avec les jumelles. Vous vous êtes arrêté au dernier tournant et avez observé le hameau avant de vous diriger ici. Vous n'avez pas remarqué qu'il n'y avait de feu que chez moi?

— Je n'y ai pas fait attention.

— Kochko m'a appris à n'avoir peur de rien, sauf des rêves qui se répètent. Après son décès, j'aurais pu quitter Pierrefroide. Mais je suis restée. Parce qu'il a construit cette maison et qu'il est venu me chercher quand j'étais en bas. Tout en bas. Là où vous n'avez même pas les mots pour appeler au secours. De là que je n'ai pas envie de l'abandonner maintenant. Je sens qu'il a besoin de moi à Pierrefroide.

Elle se leva de sa chaise et alla tisonner le feu avec les pinces. Il suivit l'opération du coin de l'œil, puis lampa les dernières gouttes de quinquina.

— Voilà comment je vois les choses, dit-elle en reprenant place à la table. Cette nuit, vous dormirez ici. Demain vos amis viendront vous chercher.

Au ton de sa voix, il eut de nouveau l'impression qu'elle avait percé son mensonge. Il détourna les yeux devant son regard et s'excusa pour le dérangement. Elle répondit qu'il était l'invité de Kochko et non le sien. « À ce propos, ajouta-t-elle en souriant, je vous prêterai un de ses costumes pendant que vos habits sécheront. Comme vous êtes plus petit que lui, vous n'aurez qu'à retrousser le pantalon. »

Il eut beau chercher dans ses souvenirs une formule de remerciement élégante qui aurait établi, à ses yeux du moins, qu'il était un hôte de classe, son cerveau exténué refusa tout compromis. Il s'entendit pousser des grognements vagues et se laissa conduire vers ce qui allait devenir sa chambre. Faustine lui montra la salle de bains et l'abandonna à lui-même. Il l'entendit crier à travers la porte qu'il y avait des serviettes sur une étagère et qu'elle avait posé une chemise propre et un costume sur une chaise...

Il était enfin à l'abri, soustrait aux regards et hors de danger. Mais le luxe lui en imposait. Cela faisait trois ans qu'il n'était pas entré dans une vraie salle de bains. Céramique bleue, glaces murales, baignoire spacieuse. Odeur fraîche des shampoings et des savonnettes. Petite armoire à pharmacie dont l'étroite porte vitrée laissait voir des médicaments. Peignes, flacons, épingles, vaporisateurs, trousse à maquillage, accessoires de toilette sur une coiffeuse. Liberté, intimité. Quoi de plus exaltant que de se retrouver seul avec soi-même, sans surveillance ni obligation, et de s'occuper librement de son propre corps ? Malheureusement, l'image que lui renvoyaient les miroirs gâchait son plaisir. C'était celle d'un homme épuisé, au regard trouble et aux traits durs, à qui on aurait donné cent francs pour qu'il aille coucher ailleurs.

Il n'osa pas se faire couler un bain moussant comme à la télévision et se contenta d'une douche froide qui lui hérissa la peau. Débarrassés de la crasse et de la poussière, ses pieds révélaient une multitude de coupures plus ou moins profondes, dont certaines saignaient encore. Des bobos. Mais sa cheville droite était grosse et douloureuse.

Deux peignoirs étaient suspendus à une patère. Un rose bonbon aux manches humides. Un noir très ample, parfaitement sec, dont la ceinture large pendait par terre. Par réflexe professionnel, Paul-Quentin visita les poches qui ne contenaient qu'un briquet jetable et une balle de ping-pong. Quand il eut passé sur ses épaules le peignoir rêche dans lequel il flottait un peu, il se dirigea pieds nus vers la chambre où se trouvait déjà son sac, il ferma la porte et s'allongea sur le grand lit...

Il dormit toute la nuit, tout le matin et une partie de l'après-midi. À son réveil, il mit du temps avant de comprendre où il était. Enfin il repoussa les couvertures et alla ouvrir les volets en sautant à cloche-pied. L'air était froid et tonique. Le soleil déjà assez bas flamboyait entre deux massifs couverts de neige. Pas un nuage dans le ciel.

Faustine avait posé sur la chaise un costume de velours prune, une chemise blanche, du linge de corps et des socquettes de coton. Il s'habilla sans se presser devant la fenêtre. À part la douleur sourde de sa cheville, qui lui rappelait le supplice de sa longue marche, impossible de rêver d'une évasion plus réussie. Il avait de faux papiers, un nouveau nom, un peu d'argent, il était vivant et il était libre ! En s'y prenant bien, il devait pouvoir négocier le prolongement de son séjour chez cette femme qui n'avait pas froid aux yeux. Il laisserait pousser sa barbe et resterait à Pierrefroide le temps de se faire oublier.

Quand il fut prêt à soutenir le regard de son hôtesse, il abaissa la poignée de la porte discrètement et poussa le battant sans faire de bruit. Par un réflexe de fugitif, il écouta les bruits de la maison avant de sortir. Au loin, dans la cuisine, deux voix chuchotaient.

— Vous êtes incorrigible! Qu'est-ce que vous allez encore chercher? Je vous ai dit que j'ai regardé ses papiers. Il s'appelle Jean Martinez.

— C'est le nom qu'il m'a donné, mais qu'est-ce que ça prouve, Faustine?

— Vous êtes toujours prêt à vous emballer.

— Bichon a vu tout de suite la ressemblance. Bichon n'est pas n'importe qui. Bichon a l'œil.

— Le mois dernier, vous disiez la même chose, à propos du nouveau docteur!

— C'est vrai. Je me suis trompé l'autre fois. Mais là, Faustine, c'est différent. Bichon a eu le temps de l'observer. De profil. De face. De dos. Tout de suite j'ai vu qu'il n'était pas clair. Et quand j'ai raconté la mort de Kochko, il a tressailli.

La conversation se poursuivit encore un moment. Puis le fossoyeur s'en alla. Faustine ouvrit et ferma des placards en chantonnant. La main sur la poignée de la porte, Martinez attendit plusieurs minutes avant de quitter la chambre. Il boitait et s'arrêtait tous les deux pas, car son pied droit lui faisait mal. Dans le séjour, Faustine, le dos au feu, des lunettes rondes sur le nez, lisait un livre.

— Comment va votre cheville?

— Ni mieux ni plus mal. Quelle heure est-il?

— Quatre heures. Je suis entrée dans votre chambre plusieurs fois, mais je n'ai pas osé vous réveiller. Vous devez avoir faim.

— J'ai surtout envie de café.

— Je viens d'en faire.

Elle lui apporta une grande tasse, le sucrier et la cafetière de verre aux trois quarts pleine. Ses lunettes pendaient au bout d'un cordon sur son chemisier entrouvert. Elle avait lavé ses cheveux couleur de cidre et les avaient étalés sur les épaules pour les faire sécher devant le feu. Pendant qu'il buvait le café chaud, elle

tourna le dos à la cheminée et reprit sa lecture
avec un air trop détaché pour être sincère.

— Vous avez les cigarettes de Kochko dans
le tiroir, dit-elle au bout d'un moment. Vous
pouvez les prendre. Moi, j'ai arrêté.

— Qui vous a dit que je fume?

— Vos doigts sont jaunes.

Il alluma sa première clope depuis cinq
jours, empocha le paquet ouvert et laissa les
autres dans le tiroir avec le briquet. Le café
noir et la fumée lui faisaient du bien.

— Vos amis doivent s'inquiéter. Il vous
faut les appeler.

— Inutile.

— Vous n'avez personne à avertir?

— Non.

— Alors, hier vous m'avez menti.

— Cela m'arrive!

Son rictus en disant ces mots n'avait rien de
sympathique, il s'en rendit compte le premier,
mais c'était comme ça : quand il était pris la
main dans le sac et qu'il ne savait pas comment s'en sortir, il parlait les dents serrées en
s'efforçant de sourire. Faustine posa son livre,
alla chercher une tasse et une sous-tasse dans
le buffet, et elle se servit sans faire de com-

mentaire. Il la regarda boire debout, à petites gorgées, sa jupe longue frôlant la table, son beau visage aussi calme qu'une eau dormante.

— Si vous n'êtes pas attendu, ça change tout, dit-elle en reposant sa tasse vide sur la soucoupe. Rien ne vous empêche de rester ici jusqu'à ce que la route de La Fourche soit dégagée. Dans quelques jours, si votre cheville va mieux, vous repartirez à pied. Sinon je vous conduirai en scooter.

Il plongea la main dans la poche, en tira une autre cigarette et l'alluma à la première qui était loin d'être finie. Un miaulement se faisait entendre derrière une porte.

— Vous avez un chat?

— Une chatte. Hier vous avez failli vous asseoir dessus : vous étiez dans un tel état que vous ne l'avez pas vue.

Elle ouvrit la porte et prit la bête dans ses bras. La chatte se frotta contre le chemisier, trouva l'emplacement qui lui convenait sous les lunettes et s'abandonna.

— Kochko l'a aperçue un soir en se promenant du côté de Bellaudière. Elle était blessée à la patte et à demi morte de faim. Il l'a

ramenée ici dans son chapeau et nous l'avons
soignée.

— Elle s'appelle comment?

— Nuit de Chine.

Son regard allait du chat qui s'assoupissait
au visage paisible de son hôtesse. La cigarette,
le café, le confort de la maison, le souvenir du
vieux boxeur, c'était parfait, mais le moment
était venu de s'occuper du plus urgent.

— Tout à l'heure j'étais réveillé. J'ai entendu la fin de votre conversation.

— Vraiment? J'en suis désolée.

Elle n'était pas troublée le moins du
monde. Tout en grattant la tête de la chatte
qui se laissait cajoler, elle ajouta :

— Si vous avez parlé avec le fossoyeur,
vous vous êtes aperçu qu'il ne faut pas prendre
au sérieux tout ce qu'il raconte!

— Il semblait très sûr de lui.

— Cela vous gêne? demanda-t-elle en le
regardant par-dessus les oreilles de la chatte.

Il détourna les yeux et lui demanda un peu
sèchement pourquoi elle avait fouillé son sac
pendant qu'il dormait.

— Kochko m'a appris à ne pas avoir peur,
quoi qu'il arrive. Néanmoins j'ai assez vécu

pour savoir qu'on doit prendre quelques précautions quand un homme se présente à la tombée de la nuit. D'autant plus que Kochko n'a jamais eu d'ami du nom de Martinez.

— Je ne m'appelais pas comme ça quand je l'ai connu.

— Nous y voilà!

— Nous avons travaillé ensemble sur des cargos où on ne vous demandait pas qui vous étiez. On donnait un nom quelconque et on le gardait pendant toute la traversée. Moi, je choisissais presque toujours celui de mon oncle Paco qui s'était installé en Uruguay. C'est pour le rejoindre que j'ai pris la mer la première fois. Quand je suis arrivé, il était mort. Vous voyez que les histoires se répètent.

Elle se débarrassa de la chatte qui fila à travers la pièce. Puis elle lava les tasses dans l'évier, les rangea sur l'égouttoir, se sécha les mains à un torchon et revint à la table.

— Je vous dois des excuses pour mon accueil. Je n'ai pas l'habitude de recevoir des inconnus et je n'aime pas tellement fouiller dans les sacs. Si j'avais su qui vous étiez, j'aurais été moins méfiante. Vous pensez si j'ai entendu parler de Paco! Sauf que la description datait un peu. Entre vous et le marin aux boucles noires...

— Vingt ans ont passé.

— Pour Kochko vous étiez toujours le jeune fou qui lui avait sauvé la vie en mer de Chine.

— Jeter une corde à un type passé par-dessus bord n'a rien d'héroïque. N'importe qui aurait fait pareil à ma place.

— Kochko n'était pas tombé à l'eau par accident. Ils s'étaient mis à cinq pour le balancer.

— J'avais dix-huit ans et j'aimais le risque. Cela m'a joué des tours quelquefois.

— Quel dommage que vous ne soyez pas venu plus tôt. Il regrettait de ne pas savoir où vous étiez. Les derniers temps, il parlait souvent de vous. Je crois qu'il avait quelque chose à vous demander ou à vous apprendre avant de mourir.

Elle se leva et rassembla sur un coin de table de la gaze, des fioles, des petits ciseaux et du sparadrap. La minutie tranquille de ses gestes le subjuguait.

— Il faut soigner vos pieds, dit-elle en s'agenouillant sur un coussin vert devant sa chaise. Vous avez de la chance que j'aie le diplôme d'infirmière, même si je n'ai exercé que trois semaines. Tournez la tête vers le poêle et pensez à des choses agréables. Quand on a beaucoup voyagé, on doit avoir de beaux souvenirs.

— Pas tant que ça.

— À votre place, je ferais comme si j'en avais.

Il serra les dents pendant qu'elle arrachait les croûtes avec la pointe des ciseaux, extrayait le pus, désinfectait les plaies en versant du trois-six dessus.

— J'ai presque fini... Encore un peu de ce côté... Voilà... Terminé! Les coupures cicatriseront rapidement. La cheville, c'est une autre affaire. Il ne faut pas marcher avec une entorse. De toute manière, même avec les mocassins souples de Kochko, vous ne pourrez pas.

Elle était encore à genoux sur le coussin, rassemblant les tampons de gaze souillés. Il respirait l'odeur de nèfle de son shampoing et laissait passer le moment de dire merci. Quand elle se releva avec le plateau, il la saisit par l'avant-bras.

— Qu'est-ce qu'il a raconté sur moi, le fossoyeur ?

— Aucune importance.

— Il disait que je ressemblais à quelqu'un.

— Si vous prenez au sérieux les enfantillages de Bichon ! Ses lubies changent tous les jours.

Elle essayait de se dégager en reculant, n'y parvenait pas mais souriait avec bienveillance comme pour se persuader elle-même qu'il ne la brutalisait pas. Il serra les doigts plus fort et haussa le ton.

— Avec qui me confond-il?

— Vous n'aurez qu'à le lui demander, il revient demain.

— Dites-le-moi puisque vous le savez.

— Vous avez si peur que ça qu'on vous prenne pour un autre?

Plus fine que lui, elle avait marqué un point. Il la relâcha. Elle se frotta le poignet où apparaissaient des stries blanches sur la peau rose.

— Kochko m'a appris beaucoup de choses! dit-elle de sa voix calme et grave qui donnait du poids aux mots les plus simples. La première est de savoir quand on doit fuir et quand on doit se défendre. Ne recommencez plus ou vous dormirez dehors.

Elle jeta la gaze à la poubelle, nettoya les petits ciseaux et les rangea avec la bouteille d'alcool dans un tiroir. Ses gestes étaient devenus plus nerveux comme ceux d'une femme contrariée.

— Je ne voulais pas vous faire mal, dit-il au moment où elle allait quitter la pièce en emportant le transistor.

— Encore heureux! répliqua-t-elle du tac au tac.

Et elle lança avant de sortir :

— Si vous avez besoin de vous défouler, il y a un punching-ball dans la cave. Kochko y consacrait un quart d'heure tous les matins.

Il se retrouva seul avec la chatte qui somnolait sur une chaise. Le feu s'endormait. Il jeta une bûche énorme sur les tisons, puis il fit le tour de la pièce à cloche-pied. Sur le meuble du téléviseur, il y avait une photographie prise à contre-jour, dans le pré, devant la maison. Ce devait être le printemps. Le cadrage n'était pas bon, le portrait légèrement flou. Kochko, nettement plus grand que sa compagne qui pourtant n'était pas de petite taille, portait le costume de velours prune. Faustine, en robe d'été, lui donnait le bras.

Il reposa la photographie sur son support et pressa la commande du téléviseur. L'écran s'alluma mais les images étaient brouillées sur toutes les chaînes. Alors il reprit son inspection de la grande pièce, ouvrant l'un après l'autre les placards où les provisions sèches de l'hiver, y compris le café et les spaghettis, tenaient dans des bocaux de verre coloré, fermés par de larges bouchons de liège. Les légumes frais étaient rangés ailleurs, dans le cellier attenant à la cuisine.

Le soir arrivait lentement. La grande vitre au-dessus de l'évier laissait entrer une lumière basse, mourante. L'ombre avait déjà gagné un des versants de la montagne. Au fond de la maison, dans sa chambre probablement, Faustine écoutait les informations. Puis elle changea de poste. De la musique passa à travers les murs.

Il s'assit près du plan de travail, éclaira l'applique murale et commença la préparation du repas, par désœuvrement. Couper des carrés de viande rouge, éplucher des légumes, frire des oignons, choisir des épices étaient des gestes d'homme libre, et il éprouvait le bien-être qui accompagne la liberté quand on en fait un bon usage. Il sifflotait en surveillant le feu sous la marmite ou en brassant le ragoût aux lentilles avec une longue cuiller en bois d'olivier. Une heure plus tard, quand Faustine revint, le plat était prêt.

— Cela sent bon chez vous, monsieur Martinez! dit-elle en prenant un air gourmand qui valait une absolution.

— J'ai préparé... un *guiso* uruguayen, dit-il, sidéré par le changement de son humeur et par sa nouvelle tenue : une robe

72

noire à bretelles qui laissait les épaules à découvert.

— Vous aimez faire la cuisine?

— J'ai été cuistot.

— Ce n'est pas tout à fait pareil!

Elle déplia une nappe blanche et dressa la table rapidement. Puis elle alla chercher une bouteille qu'elle déboucha elle-même et qu'elle servit pendant qu'il versait le *guiso* brûlant dans les assiettes.

— À votre santé! dit-il en levant son verre le premier.

— À la vôtre et au souvenir de Kochko! dit-elle de sa voix grave.

Ils étaient assis aux deux bouts de la longue table. C'était la meilleure disposition. Ils pouvaient se regarder d'un peu loin sans être gênés. Comme elle portait à sa bouche le verre à pied, il remarqua qu'elle avait mis du rouge à lèvres et avait souligné ses paupières au crayon noir. Il avala son vin d'un trait.

— Puisque vous tenez tant à le savoir, dit-elle soudain, Bichon s'est mis dans la tête que vous êtes le fils de Kochko. Cela valait-il la peine de me faire un bleu?

Il répondit non, certainement pas, et il plongea la cuiller dans l'assiette devant lui pour ne pas laisser voir sa satisfaction. Elle l'imita au bout d'un moment et déclara, dès les premières bouchées, que le ragoût était délicieux. Ayant dit cela, elle remonta la bretelle de sa robe qui avait glissé.

— À vrai dire, je n'étais pas sûr de me souvenir de la recette. Il y a si longtemps que je n'ai pas été aux fourneaux...

Dans un moment d'euphorie qu'il devait à la présence de cette femme autant qu'au vin, il avait livré une confidence dangereuse. Il prit conscience de son erreur quand Faustine, les yeux brillants, lui demanda pourquoi il avait changé de métier. Décidément, rien ne lui échappait, il fallait jouer plus serré.

— Oh! J'ai fait toutes sortes de choses, cela dépendait des circonstances, mais j'aime mieux ne pas y penser.

Il se leva pour servir le vin et crut bon de détourner la conversation en signalant que le téléviseur était en panne. Faustine qui suivait ses gestes en souriant attendit qu'il eut repris sa place avant de lui expliquer pourquoi :

— À chaque tempête, c'est pareil. L'antenne plie sous la neige. Kochko allait sur le toit et la remettait d'aplomb. Je m'en occuperai demain.

Ils finirent leurs assiettes en même temps.
Faustine sortit une crème glacée du congélateur et alla chercher un carafon de verveine
dans le buffet. Tout en vidant des petits
verres, il s'abandonnait à la griserie d'un bien-
être qu'il n'avait pas connu depuis des années.

— Vous ne m'avez pas dit pourquoi vous
êtes resté si longtemps sans chercher à revoir
Kochko.

— On s'est perdus de vue tout simplement. Chacun vivait de son côté.

— Comment avez-vous trouvé son adresse ?

— J'ai lu un reportage sur lui dans un
journal. « Le boxeur retiré du monde » ou
quelque chose comme ça. Le journaliste disait
qu'il s'était fait construire une maison au-
dessus de La Fourche et qu'il menait une vie
solitaire.

— C'était vrai jusqu'à ce que cet article
paraisse. Après, des gens ont commencé de
rôder dans le coin, par curiosité.

— Sans ce reportage, je n'aurais pas eu
l'idée de me mettre en route.

— Vous venez de loin ?

De nouveau elle s'intéressait un peu trop à
lui, il fallait arrêter la conversation. Il déclara

qu'il avait sommeil et il se leva en emportant les cigarettes. Elle lui souhaita bonne nuit sans s'étonner de son départ brusque.

Des bruits légers, furtifs, le réveillèrent dans la nuit. Il y eut le déclic d'un commutateur, une chaise que l'on heurtait, le murmure d'une voix. Il se redressa sur son lit et tendit l'oreille. Pas de doute. Faustine marchait dans la maison. Que faisait-elle? Allait-elle à un rendez-vous? À qui s'adressait-elle? Et si elle avait appelé la gendarmerie? L'idée ne lui vint pas qu'elle se servait à boire dans la grande pièce et qu'elle parlait à la chatte qui s'étirait près du feu éteint.

Il se leva, passa le costume de velours dans l'obscurité, chaussa les mocassins à la manière de pantoufles, ouvrit la porte et s'avança le long du couloir. La lumière d'un abat-jour éclairait la longue table de bois sombre. Nuit de Chine s'était rendormie.

Faustine, engoncée dans un manteau de laine dont le capuchon était rabattu, se tenait sur la terrasse, face aux ténèbres. Elle regardait loin devant elle, dans la direction de La Fourche. Au premier craquement du sol verglacé, elle se retourna vivement :

— Ah! vous êtes là! dit-elle de sa voix grave, un peu enrouée par le froid, où perçait le regret d'être dérangée.

— Je ne dormais plus, dit-il comme pour s'excuser de la rejoindre.

— Vous allez prendre mal. Habillez-vous!

Il rentra dans la maison, décrocha la canadienne de Kochko suspendue au portemanteau, la jeta sur ses épaules et rejoignit Faustine qui braquait des jumelles vers la forêt.

— Vous avez entendu l'appel?

— L'appel?

— Il ne reste jamais longtemps sans me faire signe. Surtout quand la nuit est claire comme maintenant. Il me l'avait promis avant de mourir.

C'étaient des paroles déraisonnables, mais la voix calme de Faustine ne trahissait aucun égarement, nulle surexcitation. Et sa conviction était si forte qu'il y avait de quoi être troublé.

— Vous croyez réellement que...

— Je ne crois rien, monsieur Martinez. Je vois. Est-ce que vous avez de bons yeux ?

— Oui.

Elle lui tendit les jumelles et lui indiqua une direction. Il tourna la molette de mise au point sans réussir à distinguer l'ombre suspecte qui aurait pu suggérer une silhouette. Elle se tenait près de lui, répétant des phrases bizarres. Que rien n'arrivait par hasard. Que Kochko lui avait dit avant de mourir qu'il ne la laisserait pas seule. Qu'elle n'oublierait jamais sa dernière journée sur la terre. Que l'amour vrai n'a pas de fin...

— Je ne vois rien, dit-il froidement, après avoir tenté en vain d'apercevoir la forme précise d'une bête ou d'un arbre mort.

— Prenez pour repère le grand cèdre à côté de la haie. Vous y êtes ?

— Oui.

— Tournez-vous un peu sur la gauche... C'est ça... Dirigez-vous vers la grosse étoile qui scintille... Il n'y en a qu'une de ce côté-là... Vous la voyez ?... Un peu plus à droite maintenant !

Il obéissait sans discuter, tout en sachant qu'il aurait fallu des jumelles à infrarouge pour repérer la présence d'un animal, chat sauvage, martre ou renard. Quant au vieux Kochko au fond de son trou, il ne risquait pas de s'évader. Mais si ça faisait plaisir à Faustine de lui faire prendre l'air...

— Vous ne voyez toujours rien?

— Non.

Elle lui saisit le poignet pour orienter les jumelles. Il fut tenté de la repousser d'un coup d'épaule et de retourner dormir. Mais elle avait la paume des mains douce, brûlante, et il respirait le parfum de nèfle et l'odeur chaude, presque laiteuse, de son corps contre le sien.

— Une tache blanche, c'est ça?

Il avait fait semblant de voir quelque chose pour ne pas la décevoir. Elle voulut reprendre l'instrument, lui effleura le visage du bout des doigts. Il ouvrit la bouche, lui happa le pouce et le mordilla pendant qu'elle répétait :

— Qu'est-ce que vous faites?

Il la relâcha à regret. Elle s'écarta et scruta de nouveau la nuit comme s'il n'y avait rien de plus important dans sa vie que de surveiller un fantôme. Elle n'était pas fâchée contre lui et semblait avoir oublié le geste incongru.

— Il est toujours là, dit-elle au bout d'un moment. Vous me portez chance. Regardez!

Il fait signe avec son chapeau. Je pense qu'il vous a vu. Il a l'air heureux.

— À cause de moi?

— Oui.

— Mais pourquoi?

— Il voit que je suis en de bonnes mains.

Cette phrase insensée, dite avec candeur, mit un terme à ses scrupules, s'il en avait. Il se rua sur Faustine. Elle recula. Il glissa et perdit l'équilibre sur le sol gelé. Elle tenta de le retenir. Ils s'accrochèrent l'un à l'autre et tombèrent sans se déprendre. Pendant qu'elle riait de leur maladresse au lieu de lui reprocher sa conduite, il s'activa à déboutonner le manteau, sortit les seins de dessous le pull, fouilla la robe de jersey et la remonta sur les cuisses. Elle avait lâché les jumelles et balbutiait entre les baisers, vous êtes fou, vous êtes réellement fou! Mais ces mots avaient valeur d'approbation, sinon d'encouragement. Il se hâta de la pénétrer avant qu'elle changeât d'avis et il éprouva une sensation de triomphe quand elle lui dit à l'oreille, de sa voix grave : « Dès que je t'ai vu marcher sur la route, j'ai su que Kochko t'envoyait à moi. »

Cela faisait plus de douze ans que Marcel Louis Bichon, que certains appelaient familièrement M.L.B., se réveillait toutes les nuits entre deux et cinq heures. Il éclairait la petite lampe en bois de pin que Kochko lui avait fabriquée, il chaussait ses larges pantoufles de feutre, passait un gilet de laine sans manches par-dessus sa longue chemise de flanelle, coupait la lumière et s'asseyait devant la fenêtre. Il ne fumait pas, ne buvait pas, se tenait simplement à l'affût pour le cas où un incident extraordinaire, il ne savait lequel, viendrait à se produire sur la Terre, à l'insu des dormeurs. Immobile, les genoux serrés, sans angoisse ni inquiétude, mais avec un sourire confiant qui ne s'adressait à personne, il attendait l'événement et l'imaginait : atterrissage d'un aéronef de cristal échappé du cœur de la galaxie, irruption d'un volcan éteint depuis dix mille ans, chute d'une météorite qui embraserait la planète et mettrait fin à la civilisation. Deux heures plus tard, lorsque ses paupières devenaient lourdes, il repoussait l'apocalypse et se recouchait paisiblement dans le lit froid.

À force de veiller et de prendre son mal en patience, Bichon s'était forgé une représentation toute personnelle de la nuit, ce pays absent des cartes, où demeuraient les morts qu'il avait mis en terre lui-même. À chacun il attribuait un coin de ciel et de montagne, mais aussi, selon son humeur, une ferme, un enclos, une hutte de charbonnier, un champ de seigle ou une bergerie. Tout naturellement, Kochko, de par ses mérites, avait reçu le plus beau vallon au-dessous de la Grande Ourse avec un chalet dont la véranda en surplomb s'ouvrait sur la Voie lactée.

Élevé par ses grands-parents, puis choyé par sa grand-mère devenue veuve, Bichon avait tâté de divers métiers avant de trouver son propre chemin. Aide-boucher, il s'était coupé la dernière phalange du pouce avec un tranchoir. Bûcheron, il avait expédié sa tronçonneuse dans un ravin en entendant gémir le mélèze qu'il attaquait. Ses apprentissages successifs de la plomberie, du carrelage et de la serrurerie n'avaient pas donné les résultats qu'on était en droit d'en attendre. Et son rêve de devenir garde du corps d'une actrice de cinéma avait pris fin le matin où les autorités militaires le jugèrent trop faible d'esprit pour manier une arme à feu sous le nez de ses camarades. Seul de son village à être réformé, il rentra à pied chez lui sans autre consolation qu'un petit harmonica acheté à une recrue dont il tira assez vite quelques airs simples, quand il était seul.

C'est alors que l'envie lui vint de quitter le pays, de bourlinguer, de s'enrichir en trafiquant l'ivoire en Afrique ou les perles sur les côtes de la mer Rouge, d'avoir un harem de musulmanes et de finir maharadjah. Un matin, il prit l'autocar pour Valence, monta pour la première fois dans le T.G.V., importuna le contrôleur avec ses questions et descendit éberlué au terminus, gare Saint-Charles. Sous le pâle ciel de mars, Marseille était la plus belle ville du monde. Il tomba en admiration devant le luxe des cafés, la beauté des filles, l'arrogance et la tchatche des voyous. Comme la journée passait vite et qu'il n'était pas raisonnable de se mettre en quête d'un navire pour l'Arabie à la nuit tombée, il paya d'avance une chambre avec lavabo dans un hôtel du quartier de l'Opéra, fréquenté par des travestis. Vers minuit, ne supportant plus les va-et-vient dans les couloirs, il prit son bagage et alla dormir sur un banc.

On ne sait si ce fut cette nuit-là ou le lendemain qu'il consacra quelques centaines de francs aux courts délices de l'amour non partagé. La révélation eut lieu sous un éclairage rouge qui donnait à la chair nue de sa partenaire la teinte d'un bœuf écorché. Compréhensive, douce, concise et possédant bien son sujet, la jeune femme lui montra comment s'y prendre, l'encouragea par de petites tapes dans le dos et des mots obscènes qui l'effrayèrent, mais s'impatienta quand il interrompit le mouvement sous prétexte de lui caresser la poitrine. Quand ce fut fini – et ce fut fini beaucoup plus vite qu'il n'eût voulu – il regarda sa Béatrice remettre son short et se recoiffer en sifflotant, tandis que, perdu dans le souvenir de son extase, il glissait par étour-

84

derie les deux pieds dans la même jambe de
pantalon.

— Dépêche-toi! Tu n'es pas le seul.

— C'est-à-dire que...

— Quoi encore?

— On ne pourrait pas se revoir?

— Tu sais où me trouver. Si tu viens
souvent, je te ferai un prix!

Il passa encore un jour à errer entre le Vieux-
Port, le cours Belsunce et l'avenue du Prado,
puis il se rendit à la Joliette, tenta de s'approcher des grands paquebots, se fit chasser par les
maîtres-chiens qui ne plaisantaient pas avec les
rôdeurs, dormit dans une décharge et se réveilla
délesté de son portefeuille.

Revenu de ses rêves d'aventurier, le jeune
homme rentra au pays en auto-stop. Il y fut
reçu à bras ouverts, car mademoiselle Delamenthe, la vieille fille qui faisait office de cantonnier et de fossoyeur, venait d'atteindre
l'âge de la cirrhose et personne ne se présentait
pour la remplacer. Bichon accepta de bon
cœur la double charge et reçut la clé de
l'appentis où étaient rangés les outils de sa
fonction : les différentes sortes de pelles, la
bêche, la pioche, la grande faux et le faucard,

le sécateur à longues poignées, la brouette en fer et le râteau à dents de bois si utile lorsque virevoltent les feuilles rouges.

Du jour où le maire de La Fourche, président d'un groupement de cinq communes, lui confia l'entretien des fossés et le creusement des fosses, Bichon devint un autre homme. Appliqué. Sérieux. Casanier. Le premier à courir avec sa pelle les matins de neige pour dégager la sortie des garages. Le dernier à fermer le portillon du cimetière quand la bourrasque avait renversé les pots de chrysanthèmes qu'il fallait remettre d'aplomb.

Au bout d'un an, l'octroi d'un chalet minuscule, la Cabanette, à proximité du pavillon des sourds-muets, hissa l'employé intercommunal au rang des heureux de cette vallée de larmes. Il laissa pousser sa moustache pour raffermir son visage mou et lunaire, acheta un lot de vestes militaires à poches multiples qui lui donnèrent l'air d'un cosaque ou d'un garde-chasse, se fit installer le téléphone pour avoir l'horloge parlante et se mit à parler de lui-même à la troisième personne comme les entraîneurs de clubs de football quand leurs équipes vont en finale.

Conscient de l'importance de sa mission, il lutta contre le chiendent des talus, la chute des arbres sur les sentiers, la formation des nids-de-poule et le ruissellement des eaux de pluie. Dans sa fonction de fossoyeur, ses succès ne furent pas moindres. Comme témoignage de sa bonne volonté, on rappelle qu'il creusa avec une égale conviction des terres boueuses et des sols gelés, et l'on cite pour preuve de sa déontologie qu'il traita avec le même empressement les riches défunts dont les proches lui glissaient une enveloppe dans le képi et les pauvres des cinq communes qui ne laissaient rien derrière eux, sinon des ardoises. Un jour que la directrice de l'institut des sourds-muets, madame Karmatt, s'étonnait de son absence d'ambition, « tout de même vous pourriez passer le concours pour être infirmier », il lui laissa entendre que, selon son expérience d'orphelin, toute humilité entraînait des compensations du côté des joies et, à l'inverse, que l'excès de réussites attirait les désagréments comme la cime des sapins la foudre en zigzag. Prémuni contre l'arrogance par cette superstition, il ne se départit jamais d'une modestie qui s'accrut à mesure que sa

réputation se répandait. Le signe le plus mani-
feste de cet élargissement tenait en deux
chiffres : quatre poignées de main quotidiennes la première année de son service, plus
de trente à l'approche de l'an 2000.

Avec le temps, Bichon découvrit sa vraie
nature de sédentaire et les joies insoupçonnées
qui accompagnent le retour des routines
qu'on améliore. Quand il avait accompli les
tâches de la journée, différentes selon les saisons, qu'il avait nettoyé et rangé ses outils,
qu'il avait accroché sa lourde veste ou son ciré
au portemanteau, qu'il avait pris une brève
douche et dévoré une omelette ou une sau-
cisse brûlante dans un petit pain, il s'occupait
de sa seconde vie, sa vie secrète, riche, fas-
tueuse, qui devait peu aux circonstances et
presque tout à l'imagination. Comme il rendait une foule de services à madame Karmatt,
au point de passer pour son factotum, il
emportait chez lui tous les journaux que le
personnel et elle-même avaient achetés ou
reçus dans la semaine, quotidiens, magazines
de mode, mensuels spécialisés, revues médi-
cales. Sans doute la donatrice avait-elle cru au
début que c'était pour allumer le feu. Mais pas

du tout. Soir après soir, assis à la table de formica qui lui tenait lieu de bureau, une paire de ciseaux à bouts ronds dans la main droite, Bichon, aussi attentif que Sherlock Holmes recueillant des cendres de cigarettes sur un tapis, parcourait les publications une à une à la recherche des anomalies significatives qui auraient échappé aux journalistes, gens pressés par définition, qui fournissent pêle-mêle des renseignements dont ils ne savent pas tirer parti. Bichon le faisait pour eux. Ses trouvailles étaient nombreuses, régulières (plusieurs par mois) et pleines d'enseignement. Lui-même, par modestie, refusait de compter les affaires criminelles non résolues dont il avait trouvé la solution, presque toujours simple, élégante et définitive. Ainsi la disparition de Marilyn était sans mystère dès lors qu'il avait découvert dans une brochure le nom de l'obscure rivale à qui le crime profitait. Le décès suspect de Jean-Paul Ier au trente-troisième jour de son pontificat demeurait inexplicable aussi longtemps qu'on ignorait que son cuisinier avait fait un séjour chez les Jivaros, un peuple qui utilise quotidiennement le curare. Quant aux disparitions d'étu-

diantes et de femmes mariées, Bichon s'étonnait de les voir traitées avec insouciance par
les gendarmes alors que lui-même proposait
des pistes sérieuses qui conduisaient selon
les cas à la Maison-Blanche ou au palais de
Buckingham.

Madame Karmatt connaissait l'esprit fan-
tasque du cantonnier et n'y trouvait rien à
redire. Tout au plus essayait-elle de « calmer le
jeu » quand celui-ci prenait des proportions
qui auraient pu conduire l'infortuné à des
séjours en clinique. Sa ruse la plus efficace
consistait à lui faire croire qu'elle avait besoin
de lui pour quelque tâche urgente comme de
brûler les feuilles mortes qui s'accumulaient
contre le perron ou, à l'approche de Noël,
bien que la chose fût interdite, d'aller couper
pour elle en forêt un jeune sapin que les
enfants décoreraient d'ampoules rouges. Ainsi,
avec les années, Bichon avait pris l'habitude,
sa journée faite, de se rendre au pavillon où il
accomplissait bénévolement les petits travaux
qui s'imposaient : coupe du bois, rangement
des bûches, installation d'une estrade avant
une fête, consolidation d'une rampe défec-
tueuse, remplacement d'une vitre ou d'une

serrure. S'il réservait le dimanche à ses promenades dans la montagne, il consacrait le samedi après-midi à réparer des balançoires ou à ratisser l'aire de jeu, avec pour seule rétribution la tranche de cake aux raisins servie par la directrice en personne. On notera à cette occasion que le loquace cantonnier, d'un naturel communicatif, après neuf ans de fréquentations quotidiennes, bavardait longuement avec les jeunes sourds sans tenir compte de leur handicap dont il n'était pas convaincu.

– Cette année le printemps sera précoce, leur disait-il. L'autre jour, du côté de la combe du Maure, sur un arbre renversé, Bichon a vu une hermine pas plus grande qu'une pantoufle (il dessinait la chaussure avec les mains). Eh bien, croyez-le ou non, elle avait déjà sa robe d'été ! (Disant cela, ses gros doigts semblaient pianoter sur l'échine de l'animal.) Je m'approche sans faire de bruit, je la regarde, elle me regarde, je lui dis : « Alors, ma jolie, qu'est-ce que tu fais là ? Tu es en avance ! Le printemps, c'est dans quinze jours ! » Elle penche sa tête menue (et Bichon inclinait sa grosse face en même temps), elle pousse un cri aigu, hiiiiiiiiiiiiii..., et la voilà qui décampe dans le sous-bois, pffft, en une seconde plus rien! (Ici Bichon ouvrait largement les mains en signe d'impuissance et d'étonnement.) Je me dis, Bichon, tu as rêvé ou c'était la berlue? Je m'approche de l'arbre mort. Eh bien, mes petits, croyez-le ou non, la place que la bête avait quittée était si chaude que je n'ai pas pu poser la main dessus. (Et pour donner à son histoire le crédit qu'elle méritait, il dépliait sa vaste paluche terreuse au fond de laquelle, à l'endroit précis où la ligne de vie et la ligne d'amour se rencontraient, on distinguait la trace d'une brûlure.) C'est pourquoi, c'est Bichon qui vous le dit, il n'y a pas que du visible sur la planète. Je suis sûr que nous recevons des visiteurs qui préparent le terrain pour des personnages plus importants. La nuit dernière par exemple, à quatre heures moins le quart, j'ai aperçu une lueur....

— Dites, Bichon, interrompait madame Karmatt qui sentait que son protégé était prêt à chevaucher les galaxies, vous ne croyez pas qu'il faudrait repeindre le portail d'entrée? J'ai honte quand des parents viennent en visite.

C'est ainsi qu'un samedi du mois d'avril, sous un ciel d'un bleu de faïence, alors que l'air vif faisait frissonner sa moustache, M.L.B., revêtu d'une salopette de toile, achevait de passer une couche d'antirouille sur la grille décapée, lorsqu'il aperçut entre les barreaux rutilants un passant vêtu de noir et coiffé d'un feutre gris perle, qui l'observait de loin silencieusement. Au premier regard Bichon fut frappé par la prestance du promeneur qui devait approcher les deux mètres sous le chapeau, sans compter les semelles crêpe.

— Si vous cherchez quelqu'un, monsieur, lui dit-il en interrompant son travail, vous ne pouvez pas mieux tomber. Bichon connaît l'emplacement de toutes les familles dans le pays. Bichon a ses entrées partout.

Au lieu de répondre, l'inconnu se balança d'un pied sur l'autre comme font les boxeurs ou les matelots, puis il repoussa du doigt le feutre qui protégeait ses cheveux blancs et il se gratta la joue avec un pouce épaté comme un bec de jars.

— J'ai garé ma camionnette un peu plus bas et je suis monté à pied, dit-il avec un accent étranger. Pas croisé grand monde sur la route. À part une biche.

— Ce devait être un chevreuil, corrigea Bichon. On en voit quelques-uns en ce moment.

— Le coin m'a paru sacrément tranquille. Vous avez la paix comme ça toute l'année?

— Je connais des endroits plus calmes, dit Bichon, mais il faut creuser. Et la terre est dure parfois.

— Dois-je comprendre que la peinture des portails n'épuise pas votre talent et que vous seriez aussi croque-mort?

— Fossoyeur, monsieur, pour vous servir.

— Quelle différence?

— Je m'occupe du trou, pas du défunt. Mais si vous saviez comme c'est fatigant de prendre un verre le dimanche avec un déménageur qui chante *La vie en rose* et, le jeudi ou le vendredi suivant, de verser sur le boute-en-train un quintal de terre grasse. Bichon a beau connaître son métier, quand la famille se retire, il reste seul avec la fosse à refermer. Et des pensées lui viennent, monsieur.

— Vous racontez de drôles d'histoires, s'étonna l'homme au chapeau. Je ne m'attendais pas à trouver un philosophe dans ces parages. Moi, j'ai laissé ma mort derrière moi. Depuis je n'y pense plus.

L'étranger avait sorti un paquet de Gitanes de la poche de sa chemise. Il le secoua d'une main pour en extraire une cigarette qu'il alluma à un briquet de luxe extraplat. Comme Bichon suivait ses gestes avec une grande attention, il se méprit sur son intérêt.

— Vous en voulez une, peut-être?

— Je ne fume pas.

— Avec des poumons pleins de trous, je devrais vous imiter. Mais au diable les sacrifices! L'autre jour, je me suis vu dans le rétroviseur et je me suis dit qu'il était temps d'entamer ma neuvième vie. J'ai sauté dans mon pick-up et depuis je dors dedans.

— Vous ne rentrerez pas chez vous?

— Chez moi? Plus de soixante ans que j'en suis parti! J'étais tout enfant, mais je me souviens encore des femmes de mon village qui se lavaient les cheveux et passaient leurs plus belles robes avant d'écouter Hitler à la radio. Elles étaient moins joyeuses quand elles me voyaient courir, sale et pieds nus, moi qui n'étais pas un vrai Allemand!

Soudain, comme s'il avait trop parlé, l'homme s'éloigna en direction du petit bois sans dire au revoir. Mais à peine eut-il disparu à un tournant qu'il se ravisa et revint au pas de gymnastique vers le portail.

95

— Puisque vous êtes du pays, dit-il, la bouche pleine de fumée, renseignez-moi. Il n'y aurait pas une bicoque à vendre dans le coin ?

— Qu'est-ce que vous appelez une bicoque ?

— Un endroit où vous posez votre chapeau et le reprenez sans alerter le voisinage.

— Attendez que je réfléchisse... Je connais un abri de berger, adossé à une bergerie, dans un hameau abandonné... Un emplacement idéal sur les hauteurs. Mais c'est une ruine.

— Isolée ?

— Pratiquement.

— Loin d'ici ?

— Une heure de marche en grimpant vite. Si vous avez le temps d'attendre que je rince mon pinceau, je vous y conduis.

Voilà comment Kochko eut le coup de foudre pour Pierrefroide, acheta la masure et ses dépendances, et passa un premier été à les restaurer avec l'aide du cantonnier. Cette année-là Bichon consacra ses cinq semaines de vacances à fixer les ardoises du toit, à poser des planchers et des carrelages, à refaire la plomberie. Pour restreindre les trajets en cyclomoteur, il lui arrivait de dormir sur un lit de camp dans la grande salle qui servit plus tard de séjour. Si le temps le permettait, et c'était souvent le cas en juillet, en août, et même dans ces jours dorés de septembre qui s'égrènent moins lentement, les deux hommes faisaient griller des tranches d'agneau et prenaient leurs repas sur la terrasse qu'ils avaient aménagée, sirotant du cognac jusqu'à minuit. Bichon, inspiré par son compagnon, évoquait les navires de cristal qui parcourent les galaxies et les morts qui ressuscitent, rajeunis, dans les étoiles. Kochko, fumant une cigarette après l'autre, accueillait ces révélations avec bienveillance et s'efforçait de voir au-dessus des montagnes indivisibles les figures qu'on lui nommait.

Bichon ne tarda pas à se rendre compte que l'étranger n'aménageait pas la maison pour y vivre seul. Lorsque le vieil homme extrayait de la camionnette, enveloppés dans des cartons, les montants de bois d'un lit à deux places qu'il était allé chercher à la fabrique, ou quand il installait une coiffeuse d'acajou dans la salle de bains carrelée en bleu océan, c'était pour une jeune femme de Marseille avec qui il avait de fréquents entretiens par téléphone.

Une fois, elle l'avait appelé dans la soirée pendant plus d'une heure. Au cours de la conversation, Kochko avait répété avec force : « Laissez-moi venir vous chercher! Ne voyez-vous pas que vous êtes en train de devenir folle? De quoi avez-vous peur, Faustine? Vous n'avez plus d'ennemi. À part vous-même. Ici vous serez au calme. Nous aurons la belle vie... »

Après avoir raccroché, Kochko s'était mis à jurer dans une langue que Bichon ne comprenait pas et il avait boxé le vide avec colère. Puis, faisant preuve d'une maîtrise de soi qui abasourdit le cantonnier, il avait repris sa place à la table et avait gagné la partie de dominos.

À l'automne le gros des travaux fut achevé. Bichon qui montait à Pierrefroide après son travail aida Kochko à installer la grande baignoire et la porte vitrée des douches. Il scella lui-même les placards de la cuisine et les convecteurs électriques. Lorsque la première neige tomba, à la fin octobre, les deux hommes inaugurèrent la cheminée par une grande flambée de pignes qui remplit la maison d'une odeur de forêt en feu. Ce soir-là, dans l'exaltation de leur réussite commune, le cantonnier accepta une cigarette et Kochko raconta son premier match en Amérique, gagné au sixième round. Vers minuit, il y avait tellement de neige sur la route que Bichon renonça à rentrer chez lui en cyclomoteur.

Madame Karmatt considérait d'un œil sévère le compagnonnage de son protégé avec un individu sorti de nulle part. Outre qu'elle perdait les services d'un bénévole, elle s'irritait d'entendre Bichon débiter des formules du genre : « Il faudra que je le demande à Kochko... Justement Kochko me le rappelait l'autre soir... Dommage que Kochko ne soit pas là, il connaît très bien ce problème... »

— Ma parole, Bichon, vous êtes sous un éteignoir ! Kochko par-ci, Kochko par-là ! Faites attention il finira par vous vampiriser.

— Oh non ! Rien à craindre de ce côté.

— D'abord ce nom de clown, d'où le sort-il ?

— C'est le surnom que les journalistes lui avaient donné quand il faisait de la boxe.

— Un boxeur!

— Catégorie poids moyens. Vingt matchs gagnés dont six par K.-O. Quatre nuls. Un de perdu. Kochko a raccroché les gants à New York, avant un combat qu'il était sûr de remporter. Et comme il devait de l'argent à son entraîneur, il s'est mis dans de sales draps.

— Vous qui êtes indépendant, comment acceptez-vous de travailler gratis pour un homme que vous connaissez à peine et qui vous exploite?

— Ce n'est pas vrai, madame, il m'a payé toutes mes heures. Y compris les supplémentaires.

Et pour prouver sa bonne foi qui, sur ce plan au moins, était totale, Bichon sortait des billets de son portefeuille et les étalait sur ses genoux avec une satisfaction d'autant plus inconcevable qu'il vivait de peu et n'avait jamais souhaité s'enrichir.

— Je veux croire qu'il est honnête. Il n'en reste pas moins que beaucoup jugent peu convenable cette soudaine amitié, pour ne pas dire plus, qui vous amène à dormir là-haut presque toutes les nuits. Sans parler de la promiscuité, je suppose que c'est vous qui faites le ménage...

— Pas toujours.

— Mon pauvre ami, vous avez trouvé votre gourou !

— C'est quoi, un *vautregourou* ?

— Un imposteur qui abuse de la crédulité des naïfs pour satisfaire de petites ambitions.

— Kochko n'est pas un nain posteur. Il mesure un mètre quatre-vingt-dix. Il parle six langues. Il a parcouru les océans. À présent il a de quoi vivre sans travailler Sa seule ambition, c'est Faustine.

— Qui est-ce ?

— La femme qu'il veut épouser.

— S'il est aussi clair que vous le dites, pourquoi ne se montre-t-il jamais dans le village ? Il vit là-haut comme un homme qui se cacherait. Le facteur m'a dit qu'il ne l'a aperçu qu'une seule fois, et de loin encore. Tout juste si, de temps à autre, on croise sa camionnette à la tombée de la nuit.

— Avec moi, il ne se cache pas.

— C'est ce qui m'inquiète justement.

Cette discussion avait froissé Bichon. Pourquoi certaines personnes supposent-elles toujours le pire ? Était-ce l'envie ou la jalousie qui poussait madame Karmatt à blâmer la jubila-

tion qu'il ressentait quand il arrivait en cyclomoteur à Pierrefroide et qu'il apercevait de
loin, sur la terrasse, dans le brouillard qui se
levait, la haute silhouette de son ami? Il est
vrai que Kochko, une fois, au moment d'aller
dormir, l'avait serré sur sa poitrine sans dire
pourquoi. Et le cantonnier qui n'avait pas
connu ses parents s'était senti aimé comme un
fils. Où était le mal? Qui lésait-il en imagi-
nant que l'ancien boxeur, si le monde n'avait
pas été si imparfait, aurait pu être son père?

Bien évidemment, le cantonnier qui n'avait
jamais su garder pour lui une mauvaise nouvelle s'était empressé de rapporter à l'intéressé
les insinuations de la directrice, et Kochko,
une fois encore, avait fait la preuve de son
ouverture d'esprit en prenant la chose du bon
côté.

— Elle a peut-être raison, vous savez. Qui
vous dit que j'ai un passé fréquentable? Ma
vie est pleine de tiroirs qu'il vaut mieux ne pas
ouvrir.

Intrigué par ce début de confession, Bichon
s'était demandé quels péchés de jeunesse le
vieil homme gardait sous clé. Il avait imaginé
des combats de boxe truqués, des arrange-

102

ments frauduleux avec l'arbitre, des adversaires que l'on paie pour qu'ils aillent au tapis. Dans le pire des cas, des coups frappés sous la ceinture ou l'emploi de drogues. Une autre hypothèse concernait cette Faustine. Tous les mois, Kochko grimpait dans sa camionnette et allait lui rendre visite à Marseille. Pourquoi repassait-il son plus beau costume avant de partir et calculait-il longuement l'inclinaison de son chapeau? Et pourquoi revenait-il découragé, amer, les habits froissés, les joues grises, comme un homme qui n'a pas dormi pendant plusieurs nuits et qui se néglige?

Un soir que le vieux boxeur, au retour d'un de ses voyages sans résultat, semblait chercher une consolation dans les bouteilles de gigondas qu'il avait rapportées, le cantonnier lui fit part de son sentiment.

— C'est triste que vous viviez seul, dit-il soudain...

— Autant pour vous...

— Bichon n'a pas de fiancée. Mais cette femme qui vous repousse, elle est votre amie...

— Oui et non. J'ai fait sa connaissance il y a vingt ans dans un cabaret de la Côte où elle débutait. Elle chantait, dansait et chauffait le

103

public entre les numéros de strip-tease. Moi je filtrais les clients. On n'échangeait pas dix mots dans la semaine. Pour elle, je n'existais pas. Jusqu'au jour où je l'ai tirée d'une affaire qui aurait pu très mal finir. Puis on s'est perdus de vue. Il y a deux ans, j'étais de passage à Marseille, je l'ai retrouvée par hasard dans le hall d'un cinéma. Elle faisait la queue pour une séance, moi pour une autre. Mais j'ai vite changé de file. Parce que j'ai su en la voyant que je n'avais pas cessé de penser à elle. À la fin du film, je l'ai demandée en mariage !

— Elle a osé vous dire non ?

— Elle a ri. Puis elle a pleuré. On est allés dans un café sur le Vieux-Port, on a parlé jusqu'à une heure du matin. Je devenais fou en la regardant...

— Pourquoi refuse-t-elle de vous épouser ?

— Elle dit qu'elle n'est pas prête à vivre avec moi et qu'il ne faut pas la presser.

— Qu'allez-vous faire en attendant ?

— Installer un punching-ball et reprendre le saut à la corde. Il n'y a rien de meilleur pour la santé.

À présent la maison était quasiment achevée, repeinte et aménagée. Kochko avait même confectionné quelques petits meubles. On était déjà au printemps. La neige de mars fondait au soleil et gelait la nuit. Au-dessus de Pierrefroide, le Fer-à-Cheval étincelait dès le matin. Un air vif soufflait sur les pentes où l'herbe frêle tressaillait entre les plaques de glace. Les deux hommes n'avaient plus de prétexte pour se rencontrer, mais ils se voyaient tous les soirs. Qui aurait écouté leurs conversations mêlées aux claquements des dominos sur la table de la cuisine et au ronflement de la cheminée où se consumait un tronc d'arbre n'aurait pas manqué d'être surpris. Kochko parlait peu et fumait beaucoup. Bichon pour qui un silence de trois minutes constituait une insupportable brimade se livrait à des considérations très improbables qui plongeaient le vieux boxeur dans une stupeur enchantée.

— À l'arrière de la Cabanette où j'habite, disait Bichon, j'ai un jardin pas plus grand qu'un pot de fleurs. La veille de la Toussaint, réveillé par un miaulement, je me suis levé et j'ai regardé par l'œil-de-bœuf du cagibi. Le ciel était aussi noir que la terre sous un cercueil. Et pourtant, le jardin était éclairé comme en plein jour par une bête qui s'était posée dessus. Un chat énorme, jaune, plaintif, lumineux. D'où venait-il? Pourquoi avait-il choisi mon jardinet? Les chats du pays, je les connais tous et aucun n'atteint cette taille. J'ai mis mon ciré et mes bottes en caoutchouc, et je suis sorti. Mais dès que j'ai été dehors, pfuitt! pfuitt! en deux bonds, l'animal a disparu et je suis resté dans le noir.

— Le monstre n'est pas revenu?

— Ce n'était pas un monstre. C'était un chat.

— Vous l'avez revu?

— Non. Mais le lendemain, à la place qu'il occupait, il y avait un chrysanthème jaune qui remplissait tout le jardin et le soleil tombait dessus.

Des aventures comme celle-là, Bichon disait qu'il lui en arrivait au moins une ou deux par semaine. Il ajoutait que, si quelqu'un souhaitait les mettre dans un livre, afin d'alerter le public sur les visiteurs invisibles qui circulent parmi nous, il serait prêt à dicter le premier volume. Kochko se gardait de tout persiflage et se contentait, lorsque les visions du cantonnier devenaient par trop obsédantes, de lui montrer un tour de cartes ou de lui proposer une promenade.

Le dimanche, si le ciel ne menaçait pas, les deux hommes partaient à pied dans la montagne où Bichon, en maître des lieux, guidait Kochko par d'anciennes voies forestières vers des espaces dégagés, connus de lui seul. Il profitait du bon du jour pour contourner le pic de la Sauve qu'il vaut mieux éviter en temps d'orage et il se dirigeait vers la lointaine combe du Maure, à travers les éboulis encombrés de glaces. Il marchait toujours le premier, la tête dans les épaules, flairant le vent et lançant de sa voix aiguë des observations sur les paysages qu'ils traversaient tandis que Kochko, vêtu de noir et coiffé de son feutre gris, le suivait comme une ombre colossale, calme et muette. Un remorqueur poussif tirant un cargo, telle était la comparaison que Bichon lui-même avait faite et qu'il répétait à chaque promenade à la manière d'une ritournelle porte-bonheur.

Comme tant d'autres lieux de la région, la combe du Maure doit son nom à un événement dont le souvenir s'est perdu. Au Moyen Age, elle a été le repaire des routiers et des pilleurs de monastères. Après la révocation de l'édit de Nantes, des camisards s'y sont cachés, fuyant les dragons du Roi-Soleil. Par une continuité historique dont la France fournit tant d'exemples, la combe avait été le lieu de rendez-vous du premier réseau de la Résistance dans la région.

Bichon aurait été incapable de dire pourquoi, une fois sur deux, il choisissait la combe du Maure comme but de la randonnée. Peut-être parce que des bannis ou des fugitifs, qu'il imaginait à sa ressemblance, s'y étaient abrités autrefois et que seuls les choucas à présent fréquentaient le lieu. Peut-être aussi parce que Kochko, en découvrant les superbes niches creusées dans la pierre par les eaux de ruissellement, avait dit à son ami :

— Vous voyez, Bichon, un endroit comme celui-ci, j'aurais pu passer cent fois à côté sans soupçonner son existence. Je ne sais pas d'où vous vient ce talent, mais vous avez l'art de mettre la main sur les trésors. Il y a du sourcier en vous.

— Oh non! Pas du tout.

— Ne protestez pas. Vous avez un don caché. Et vous êtes un visionnaire. Je l'ai su dès le premier jour.

— Je vous assure que vous vous trompez.
Ce que Bichon prédit n'arrive jamais. Que de
fois j'ai cru que le grand jour n'était pas loin...

— C'est parce que vous placez la barre
trop haut. Il n'y a que les petites choses qu'on
peut prévoir...

Cependant l'été arriva, l'été bref et sévère
de Pierrefroide. Bichon qui travaillait aux
aménagements de la voirie décidés par le jeune
maire supportait mal la canicule. La nuit, il
dormait la fenêtre ouverte sur son jardin de la
taille d'un pot de fleurs, et le moindre craquement de branches brisées, le plus furtif passage
d'un campagnol le jetaient au bas de son lit.
Ensuite, il expérimentait les recettes des magazines pour éloigner l'insomnie : il mangeait un
abricot, buvait du tilleul, lisait dix fois de suite
le même article ou faisait des additions en
choisissant des nombres à quatre chiffres. Et
souvent, quand l'aube arrivait, il avait la tête si
embrouillée par la lecture ou par les calculs
qu'il préférait se lever, prendre une douche et
se préparer du café plutôt que s'agiter dans
son lit.

Le bel été, cette année-là, ne fut pas favorable aux vieilles personnes. Bichon troqua à cinq reprises la casquette du cantonnier contre le képi noir, triste record. Ainsi, la veille de la fête nationale, alors qu'il disposait les haies métalliques autour de la place en prévision du bal public, on vint le chercher pour creuser le trou d'un centenaire de la commune. Lorsque le maigre cortège entra dans le cimetière, une pie vint se poser sur la brouette de Bichon. La chose en soi lui parut extraordinaire. Mais ce qui, de mémoire de fossoyeur, ne s'était jamais produit et ne se produirait sans doute jamais plus, ce fut d'entendre une voix moqueuse sortir du bec de l'oiseau pendant le discours du curé. « La mort va vite et le regret a des béquilles » jacassait l'intruse que Bichon essayait de chasser avec son képi, mais rien à faire, elle restait là, au premier rang, bien décidée à narguer la détresse humaine. À la fin, n'y tenant plus, il saisit la brouette de fer et l'emporta dans l'allée la plus éloignée. La pie dont une aile pendait pitoyablement ne se montra plus.

Le lendemain, Bichon se leva plus tard que d'habitude et passa la matinée à découper les journaux du mois précédent qu'il n'avait pas eu le temps de parcourir. Tout en buvant de grandes lampées de cacao, il résolut l'énigme de la disparition de sœur Adeline, la stigmatisée de l'Aveyron, unique héritière du numéro deux mondial des agglomérés. Alors que les gendarmes privilégiaient la thèse de l'enlèvement crapuleux et interrogeaient en vain les rançonneurs habituels, tout devenait clair si l'on admettait que la religieuse, experte en lévitation, s'était enfuie par la voie des airs avec son amant.

À La Fourche, au cours de la même matinée, pour des raisons connues d'elle seule, mademoiselle Jeanne Delamenthe, la vieille dame à qui Marcel Bichon avait succédé, se préparait à commettre un de ces sublimes esclandres qui secouent de loin en loin la somnolence des villages et en établissent la gloire. C'était une antique buveuse, mal lunée, baroque, excentrique, incommode comme le diable, qui refusait de croire que son existence maudite fût le brouillon de la suivante et traitait de balivernes tous les paradis passés ou futurs. Depuis un mois, la demoiselle, qui pesait trente-cinq kilos avec ses bijoux et ses bigoudis, entendait dans sa poitrine, venant du plus loin de ses cauchemars, le galop du cheval aux jambes de sauterelle qui transporte la Faucheuse. « Bon sang, même le 14 juillet, la Camarde ne me lâche pas ! Aucun respect de la République ! Les trois mots sacrés au fronton ! On va m'entendre ! » Elle ne fit ni une ni deux, se rasa la tête entièrement, se teignit le crâne en rouge, passa la robe d'organdi et de mousseline neigeuse, à présent jaunie par endroits, qu'elle avait confectionnée de ses propres mains et aurait portée à son mariage si son fiancé n'était pas mort en déportation, et elle sortit dans la rue avec un parapluie vert en guise d'ombrelle. Il était midi vingt-cinq à l'horloge de la mairie. Le soleil tombait comme un lingot sur le toit des automobiles garées devant les deux cafés de La Fourche, les seuls lieux publics ouverts à cette heure.

— Halte-là ! Salauds ! No pasarán ! criait la femme qu'on disait à l'agonie.

Elle marchait à petits pas, s'arrêtait souvent, s'appuyait au tronc d'un arbre sans lâcher le parapluie, repartait en pivotant sur elle-même comme un derviche et poursuivait ses imprécations :

— Arrière, salopards! Il vous faut encore du sang. Vous avez oublié l'Affiche rouge?

Tout au long de la Grand-Rue, des hommes, des femmes, des gamins se précipitèrent aux fenêtres, certains ayant encore la serviette de table autour du cou et la bouche pleine. Sur le pas d'une porte, un vieux bûcheron lui cria :

— Retourne chez toi, Jeanne, le soleil tape!

Elle lui fit la figue avec le pouce, puis elle changea de trottoir et se traîna vers la Cabanette. Bichon en manches de chemise déjeunait d'une salade de tomates et d'une boîte de sardines. Devant lui, sur la table de formica, une pile de vieux journaux et un bol de prunes.

— Vous devinez pourquoi je viens vous voir? demanda-t-elle sur le seuil.

— Ce ne peut être qu'une affaire urgente, dit Bichon en lui prenant des mains le parapluie vert épinard qu'il replia soigneusement et rangea derrière la porte. Asseyez-vous, madame. Je vous mets une assiette.

— Inutile. Je n'ai pas faim. Donnez-moi de l'eau sucrée avec deux doigts de rhum, si vous en avez.

— J'ai du cognac.

— Ce sera parfait.

La demoiselle trempa les lèvres dans le verre et posa une petite main froide et osseuse sur la grosse patte de Bichon qui ne la retira pas.

— Vous vous souvenez que je vous ai choisi pour successeur lorsque j'ai quitté le métier ?

— Bichon pardonne les mauvais coups mais il ne les oublie pas, déclara simplement le cantonnier.

— La vie, c'est toujours un problème de transmission, d'héritage, de filiation ou de donation. Une affaire de dettes par conséquent.

— Qu'est-ce que je peux faire pour vous ? demanda Bichon qui comprenait vite parfois.

— On m'a dit que vous étiez en bons termes avec l'étranger qui s'est installé à Pierrefroide.

— Très juste.

— Je veux faire la connaissance de cet homme. Conduisez-moi là-haut.

— Bichon n'a pas de voiture.

— J'ai commandé le taxi pour quatorze heures. Finissez vos reines-claudes. Nous avons le temps.

114

Il faut savoir qu'il n'y a pas de taxi à La Fourche. C'est le buraliste qui sert de chauffeur à l'occasion, avec sa Renault climatisée. À l'heure dite, la limousine emporta les clients vers Pierrefroide. « Allez le plus lentement que vous pourrez ! Je ne suis pas pressée », répétait la vieille femme qui avait posé le front contre la vitre. À mesure que les paysages défilaient devant ses yeux comme un diaporama grandeur nature, elle les désignait par leurs anciens noms. « Le Pré de Lucien ! » « La Trouée ! » « Le Roc du soldat ! » « Bellaudière ! » « La Grande Montée ! »

Lorsque la voiture aborda les derniers lacets de la route, Kochko, assis sur la terrasse, à l'ombre d'un parasol, finissait de nettoyer une carabine. Il emmaillota l'arme dans un lainage, plaça le paquet derrière une jarre et descendit accueillir les arrivants. Il semble que sa haute stature, son costume blanc impeccable, son chapeau d'été jaune à galon gris, sa démarche souple et nonchalante impressionnèrent favorablement la vieille femme qui s'avançait en donnant le bras à Bichon, après avoir renvoyé le taxi.

— Puis-je m'inviter chez vous un moment ? lui cria-t-elle de loin.

115

— Vous êtes la bienvenue, répondit Kochko en allant à sa rencontre.

Mademoiselle Delamenthe s'arrêta pour souffler. Bichon qui la soutenait d'une main en profita pour essuyer de son bras libre la sueur qui roulait de ses joues dans sa moustache.

— Je ne vous tends pas ma menotte, dit-elle à l'ancien boxeur qui s'apprêtait à lui serrer la main. J'ai assez mal aux os comme cela.

Cependant, pour montrer que son refus n'avait rien d'inamical, elle griffa de ses ongles de souris la manche du costume de son hôte et la secoua longuement.

— Venez vite vous mettre à l'ombre, madame. Je vais faire du café. Vous pouvez monter les marches toute seule ou je vous soulève?

— Ne me touchez pas! Je me débrouille!

Quelques instants plus tard, la demoiselle engloutie dans le fauteuil que Bichon lui avait apporté raconta qu'elle refusait de quitter la vie sans avoir revu Pierrefroide. « Je vous mets mon billet que vous ne devinerez pas ma raison », ajouta-t-elle avec de la malice dans les yeux. Kochko qui était joueur releva le défi et

116

supposa qu'il s'agissait d'un pèlerinage senti-
mental.

— Monsieur, je ne sais pas d'où vous sor-
tez avec votre accent, mais vous êtes très pers-
picace. À La Fourche on ne parle que de vous
et la rumeur vous est hostile, c'est ce qui me
plaît. Aujourd'hui, pour être quelqu'un de
bien, il faut suivre les rails. Être collabo sous
Pétain et résistant après la bataille!... Je vais
vous dire pourquoi je tenais tant à venir ici...
Cette maison était une bergerie autrefois. À
mon époque déjà elle ne servait plus qu'en
période de transhumance. Mais toute l'année
c'était le lieu de rendez-vous des jeunes gens
qui n'avaient pas le droit de se rencontrer
dans le village. Romantique, n'est-ce pas?

— Si vous le dites!

— Vous avez vécu, monsieur Kochko.
Vous savez aussi bien que moi où mène le
romantisme. Beaucoup de jeunes filles ont
perdu ici tout espoir d'arriver vierges à leurs
noces. Moi la première. Si j'ai un regret, c'est
que ma faute n'ait pas abouti. Ce me serait
plus facile de partir si je laissais un fils après
moi. Malheureusement tous les coups d'essai
ne sont pas des coups de maître. Ah! Ah! Ah!
Ah! Ah!

Un rire grêle de boîte à musique fêlée secoua les trente-cinq kilos de mademoiselle Delamenthe qui s'agrippa aux bras de son fauteuil. Quand les secousses s'arrêtèrent, la vieille dame se passa la main sur le visage, du front vers la bouche, comme on ferme les yeux des morts.

— Vous n'avez pas trop chaud sous ce parasol ? lança Bichon pour changer le cours d'une conversation qui ne lui plaisait qu'à moitié. Je vous assure qu'il fait beaucoup plus frais à l'intérieur.

— Ne vous inquiétez pas pour moi ! J'aime la chaleur. Si vous n'étiez pas là, messieurs, je me mettrais nue au soleil... Ah ! Ah ! Ah ! Ah ! Ah !

Elle se tourna vers Kochko qui cherchait à extraire une cigarette d'un paquet neuf et elle lui demanda à brûle-pourpoint :

— Vous, monsieur, qu'est-ce que vous avez fait dans la vie à part choisir avec goût vos chapeaux et préparer le meilleur moka que j'aie jamais bu ?

— Vous en voulez une autre tasse ?

— Non, merci... Vous ne m'avez pas répondu... Je suis indiscrète, pas vrai ? Ma question vous gêne !

— Nullement.

— Quoi, alors?

— Je pourrais vous parler d'un boxeur qui reversait ses gains à des gangsters. D'un homme en fuite avec une grosse somme et d'un passager clandestin. D'un trafiquant qui prenait de la cocaïne. D'un tricheur jeté à la mer. Tous ces gens ont porté mon nom, à un moment. Mais aujourd'hui qu'est-ce que j'ai à voir avec eux? Je ne les fréquente plus.

— Alors vous êtes un homme qui a coupé les ponts avec son passé?

— Je le prétends.

— Vous avez bien de la chance.

— La chance n'a rien à voir là-dedans. L'important, c'est d'avoir de nombreuses cordes à son arc.

— Y compris celle du pendu?

— À commencer par celle-là!

De nouveau un petit rire de grillon secoua la vieille dame qui suffoqua. Bichon crut qu'elle allait rouler sous le fauteuil. Mais elle s'agrippa des deux mains au bord de la table, renversant une tasse qui se brisa.

— Je suis navrée. Depuis quelque temps, je n'arrête pas de casser de la vaisselle. Ne me

119

dites pas que c'est mauvais signe ou je me fâche pour de bon. Quand vous me ramènerez chez moi tout à l'heure, faites-moi penser à vous offrir mon service de porcelaine. Je ne m'en suis jamais servi. Cela fait plus de cinquante ans qu'il est rangé dans des cartons avec de la paille. Aucune envie qu'il tombe entre les mains de mon neveu qui ne sait même pas faire du café. À ce propos d'ailleurs, puisque j'y pense, je pourrais vous donner aussi deux ou trois....

Elle s'endormit sans finir sa phrase. Kochko alluma la cigarette qu'il tenait dans les doigts depuis un moment. Bichon suivit du regard un faucon qui faisait le Saint-Esprit au-dessus des prés. Plus tard, dans l'après-midi, la demoiselle accepta un whisky avec des glaçons et se félicita d'être venue.

— À La Fourche, je suis « classée », dit-elle à Kochko. Extravagante. Folle. Démon. On n'aime pas trop par ici qu'une femme soit vraiment libre, de cette liberté qui commence après le malheur. Sur le plan des sentiments, je suis une jusqu'au-boutiste. Quand une joie ou une rage entre dans mon cœur, rien ne peut l'arrêter, elle emporte tout, c'est Attila...

Pourquoi hochez-vous la tête, monsieur Kochko? Seriez-vous comme moi?

— Je l'ai été.

— Et maintenant, vous êtes devenu un sage?

— Je n'ai pas cette prétention.

— Est-ce que vous avez des enfants?

— Je suppose que oui....

— Vous n'avez pas de leurs nouvelles?

— Pas jusqu'à présent.

L'après-midi passait lentement. Bichon écoutait l'incroyable conversation et luttait contre la torpeur qui l'envahissait. Il finit par aller dormir dans la chambre du nord, la plus fraîche de la maison. À son réveil, la nappe était mise sur la table de la terrasse et Kochko, tout en surveillant le barbecue, tenait compagnie à mademoiselle Delamenthe qui buvait un apéritif.

Après le repas, comme ils étaient encore à table, dégustant une vieille fine, les premières fusées du feu d'artifice s'élevèrent au loin, silencieusement, dans le ciel noir. Bichon se leva d'un bond et se tint debout, jambes écartées, jusqu'à la fin du spectacle. Kochko reposa son verre et fuma par-dessous son chapeau. La demoiselle qui avait eu un frère pompier montra l'étendue de ses connaissances pyrotechniques en nommant les serpenteaux, les girandoles, les chandelles romaines, les soleils, les gerbes, les grandes roues.

— Maintenant on y va! dit-elle après le bouquet final.

— Je vous ramène chez vous? demanda Kochko.

— Chez moi? Une nuit pareille? Vous n'y pensez pas! Nous allons au bal tous les trois. Je vous offrirai le champagne.

L'apparition du trio titubant sur la place de la mairie où se tenait le bal public ne passa pas inaperçue. Drapée dans une cape de berger que lui avait prêtée Kochko, la demoiselle donnait le bras à ses deux chevaliers servants. On lui tendit une chaise près du podium. «Allez chercher le champagne, dit-elle à Bichon, et faites-le mettre sur mon compte! Nous le sablerons ici, debout, en l'honneur de tous ceux à qui nous devons cette liberté dont nous faisons un piètre usage ! » À peine eut-elle dit ces mots qu'elle piqua du nez et s'endormit à un mètre des haut-parleurs qui diffusaient chansonnettes, slows et rumbas. Bichon fendit la foule avec son ami et s'approcha de la buvette. Il fallait faire la queue. Enfin il arriva près des grands baquets pleins de glace où l'on avait mis les boissons à rafraîchir. Il passa commande, laissa à Kochko le soin de porter la bouteille bouchée dans le seau, tandis qu'il se chargeait lui-même des coupes. La fatigue, l'alcool, la musique forte, la chaleur et les émotions de la journée avaient quelque peu éteint sa « bichonnerie » naturelle. Néanmoins ce fut lui qui, le premier, à travers la foule des danseurs, vit mademoiselle Delamenthe se dresser comme pour happer quelque chose qu'on ne voyait pas – plus tard il pensa que c'était la pie à l'aile cassée – avant de s'abattre sur le sol de tout son long. C'est lui qui fut le premier à s'agenouiller près du corps, au milieu des coupes brisées, lui encore qui déclara à Kochko : « Bon sang ! Elle avait raison. Même le 14 juillet ! »

Comme chaque année Bichon prit ses vacances au mois d'août. Les deux premières semaines, ne sachant que faire de son temps libre, il s'occupa de changer la décoration de sa chambre. Bien que la pièce fût de très modestes dimensions, c'était beaucoup de travail pour un minutieux comme lui. Avec une éponge humide, un grattoir et des pinces à épiler, il fallait d'abord retirer une à une les deux cents photographies découpées dans les magazines, qu'il avait collées sur les murs et sur le plafond au cours de l'hiver. Du sol à la hauteur des cuisses, les images à dominante claire représentaient des pentes couvertes de neige, des glaciers, des ruisseaux gelés, des arbustes blancs. Ces vues n'étant plus de saison, il leur substitua de longues plages désertes, des dunes ensoleillées, des atolls entourés d'eau transparente, verte, immobile. Au-dessus de ces paysages naturels, à la place des buildings de Manhattan, il colla des vues de voiliers au gréement splendide, mono-coques briseurs d'écume, trimarans qui s'incli-naient sur un seul flotteur, catamarans qui s'engouffraient dans les creux de houle du Pacifique.

Le plafond posait un problème particulier. Il ne fallait pas se tromper dans l'agencement des images, car la vision que Bichon aurait sous les yeux chaque fois qu'il se coucherait sur le dos pour faire la sieste ne manquerait pas d'influencer ses rêveries. Après quarante-huit heures d'hésitations, il opta pour un ciel étoilé, parcouru d'astéroïdes, qui laissait voir de place en place des visages d'actrices de cinéma dont la coiffure se confondait avec la chevelure des comètes. Ce montage était très difficile à réaliser. Debout sur la plus haute marche d'un escabeau, tenant à bout de bras le mince carré de papier enduit de colle, Bichon qui était sujet au vertige risquait à tout moment de perdre l'équilibre et d'aller donner de la tête dans une armoire, ce qui lui arriva plusieurs fois. En dépit des difficultés, une semaine lui suffit pour venir à bout de cette tâche. Il en avait prévu plusieurs.

Bichon projetait sur son plafond les tourments inavouables qu'un peintre aurait réservés à son œuvre la plus personnelle. Il lui confiait son angoisse et ses espérances cosmiques, mêlées à des nostalgies amoureuses qui n'avaient pas plus de consistance que la poudre sur les ailes des papillons ou leur ombre zigzagante sur les prairies. Pour ces raisons, les visiteurs n'étaient pas admis à contempler le chef-d'œuvre. On pouvait compter sur les doigts d'une seule main les personnes autorisées à franchir le seuil de la Cabanette. Il y avait le facteur quand il apportait le calendrier, l'électricien qui relevait le compteur bleu, le docteur Glause, bénéficiaire d'un passe-droit illimité depuis qu'il avait été appelé d'urgence une nuit où Bichon s'était cru empoisonné par une fausse oronge, et mademoiselle Delamenthe qui avait forcé la porte du cantonnier dans des circonstances exceptionnelles. En vérité, l'employé intercommunal qui n'était pas un misanthrope attendait le moment de livrer son musée intime aux regards d'une bien-aimée qui en serait éblouie. Au fil du temps et des rencontres, la visiteuse changeait d'apparence, de couleur de peau ou de chevelure, tout en conservant, d'un visage à l'autre, une constante mystérieuse que le cantonnier aurait été en peine de définir mais qui était l'origine de ses coups de foudre sans lendemain.

Tant que ses travaux l'occupèrent, Bichon préféra dormir chez lui. Néanmoins, chaque après-midi, dès que les rayons du soleil n'atteignaient plus la palissade du jardin, il rangeait l'escabeau et la colle blanche, se débarbouillait rapidement, retaillait sa moustache si nécessaire, passait une chemisette et un jean, ajustait son casque et partait à Pierrefroide en cyclomoteur.

Il aimait la gifle du vent sur son visage, la sensation de liberté que lui procurait le deux-roues s'élevant dans un paysage immobile, l'inconfort et la griserie d'une aventure qu'il maîtrisait en réglant la poignée des gaz.

Kochko, assis sous le parasol incliné, des jumelles sur les genoux, allumait une cigarette dès qu'il entendait la pétarade de l'engin qui peinait dans les derniers tournants de la montée. À l'instant où Bichon retirait son casque au pied de l'escalier de la terrasse, il lui lançait invariablement :

— J'ai bien cru que vous n'arriveriez pas jusqu'ici. Un de ces quatre, votre monture rendra l'âme au milieu de la côte et vous serez contraint de la pousser.

— Détrompez-vous! Le moteur chauffe, tousse et crache de l'huile. Il renâcle comme un vieil âne. On le croirait à l'agonie. C'est pour se faire remarquer! Il sait bien qu'il devra tenir jusqu'à l'âge de ma retraite. Ça coûte un prix fou, ces machins-là.

Le plus souvent les deux hommes ne faisaient rien d'autre que de savourer ensemble la fraîche, d'observer les évolutions d'une buse ou le vol sur place des crécerelles, et de bavarder jusqu'au moment où Kochko allumait le barbecue.

— Vous avez fini de décorer votre plafond?

— Ça avance.

— Vous me le montrerez bientôt, j'espère.

— Il n'en vaut pas la peine.

La senteur âcre des branchages qui s'enflammaient endormait parfois Bichon. Sa tête basculait en arrière, ses mains retombaient le long du fauteuil, sa bouche s'ouvrait largement. Presque aussitôt, la respiration bloquée par la langue, il manquait d'air et se redressait. Alors il sautait sur ses pieds et partait se passer la tête sous le robinet d'eau froide de la cuisine. Puis il revenait en s'ébrouant, mouillé jusqu'à la taille, ses cheveux noirs aplatis sur les oreilles, l'œil plus vif.

— En montant j'ai repensé à mademoiselle Delamenthe, déclara-t-il un soir où il avait mis la tête sous le brise-jet sans réussir à se sentir véritablement réveillé. Sûr qu'elle aurait aimé vivre plus longtemps.

— Je le crois, dis Kochko en retournant le double gril sur le tapis de braise qui rougeoyait.

— Quand on commande du champagne, c'est pour le boire, reprit Bichon qui essorait sa moustache du bout des doigts. Pourquoi n'a-t-elle pas eu le temps de trinquer avec nous ?

— Il faut croire que c'était son heure. Nous n'y sommes pour rien.

— Peut-être que si. Nous avons traîné à la buvette. La demoiselle s'est retrouvée seule.

La Mort en a profité. Si nous étions allés plus vite...

Il laissa la phrase en suspens et reprit la conversation un peu plus tard en mettant la table.

— La nuit, quand je me rappelle les choses, je découvre souvent qu'elles sont liées par un fil qui ne se voit pas. Je suis sûr qu'elle a fait exprès de briser la tasse pour vous offrir son cadeau de mariage encore tout empaqueté et enrubanné. Mais le diable ou quelqu'un de plus haut placé dans la hiérarchie n'a pas voulu que vous en héritiez. Et je le regrette.

— Vous aimez à ce point la porcelaine! commenta Kochko avec un sourire.

— Non! Pensez-vous! Je m'en moque bien! Il ne s'agit pas de ça... Bichon se passe de luxe! Ce n'est pas ce que je veux dire... Si elle vous avait donné le service précieux, chaque fois que nous aurions pris le café, elle aurait été avec nous...

Kochko abandonna la discussion et servit les côtelettes sur un grand plat. La nuit montait lentement de la vallée vers les hauteurs encore en partie éclairées par un soleil qu'on ne voyait plus. On aurait dit que des ballots

131

de plus en plus sombres se dénouaient dans l'espace et se répandaient de tous les côtés à la fois. Un vent coulis aussi frais qu'un ruisseau parcourut la terrasse et renversa le parasol. Un premier quartier de lune, fin et coloré comme une pelure d'orange, apparut au sommet du Fer-à-Cheval.

— Demain il fera moins chaud, dit Bichon. Nous pourrions pique-niquer à la combe du Maure. Il y a longtemps que nous n'avons pas fait une grande randonnée.

— Impossible. Je vais à Marseille.

Le cantonnier coupa des morceaux de pain dans la graisse de son assiette et les mâchonna en fronçant les sourcils comme un homme qui réfléchirait au moyen de se débarrasser d'un essaim de mouches noires.

— Vous teniez à cette excursion? demanda Kochko qui croyait deviner les pensées de son ami et qui se trompait.

— Oh! Pas du tout! Les occasions de marcher dans la montagne ne manqueront pas. Mais si vous allez à Marseille, il y a une idée qui me trotte dans la tête...

— Une seule? D'habitude c'est tout un troupeau qui galope...

132

Bichon était lancé, il ne se laissa pas déconcerter par la plaisanterie. L'affaire était d'importance. Il y réfléchissait depuis longtemps.

— Je trouve que c'est dommage que Faustine ne fréquente pas votre maison.

— À qui le dites-vous !

— Chaque fois que vous l'invitez, elle vous repousse, m'avez-vous dit.

— En effet.

— Si c'était Bichon qui lui parlait à votre place, peut-être qu'elle l'écouterait... Oh ! Je ne prétends pas faire tourner la Grande Roue... Madame Karmatt me reproche d'être bavard... Mais votre amie n'a pas idée de la tranquillité qu'on a ici. Je lui décrirai Pierre-froide, la terrasse, la nuit, la demi-lune, la baignoire bleue, les vins alignés au fond de la cave, les feux de bûches dans la cheminée... Ça lui donnera envie de venir...

— Elle ne vous recevra pas. Depuis des mois elle ne quitte plus son appartement. Elle a peur d'être assassinée.

— La peur, dit Bichon, il n'y a rien de plus affreux. J'ai lu dans un magazine que certains oiseaux chanteurs – et votre amie chante,

133

n'est-ce pas? — meurent d'épouvante quand un chat s'approche de leur cage. La solution, dans ce cas, c'est de leur rendre la liberté. Je vous assure que vous devriez me laisser faire. Malgré ma moustache, jamais un canari ne me confondra avec un matou.

— Au point où j'en suis, dit Kochko, je veux bien tenter l'expérience. Nous irons ensemble à Marseille et vous parlerez pour moi. En cours de route il faudra que je vous raconte ce que vous devez savoir. Faustine est imprévisible et elle a horreur du mensonge. Elle est capable de vous accueillir à bras ouverts si elle a confiance en vous comme elle peut, si vous cherchez à la tromper, vous loger une balle dans la tête. Certains jours elle va très mal, mais, par éclairs, on retrouve la femme extraordinaire qu'elle est...

— Vous me donnez une indication importante, dit Bichon. Ce serait le diable si, à nous deux, nous n'arrivions pas à la guérir.

Bichon n'oublia jamais le voyage à Marseille. Chaque fois qu'il le raconta à madame

Karmatt ou à d'autres, il fit violence à sa modestie naturelle et donna plus d'importance au rôle qui avait été le sien, car on ne peut pas demander à la mémoire de restituer le vécu sans l'amplifier. Dans la version que j'ai entendue au Café du Globe, Kochko entre dans la ville par le tunnel du Vieux-Port. Il se dirige adroitement dans le flot de la circulation, remonte la Canebière jusqu'au boulevard Garibaldi, file vers la place Jean Jaurès, gare son véhicule sur le trottoir devant l'immeuble où vit Faustine et fait les cent pas dans la rue. Bichon grimpe seul les étages, s'arrête devant une porte d'un beau vert sombre et pose un doigt sur la sonnette. Au bout d'un quart d'heure la porte d'un autre appartement situé sur le même palier s'ouvre violemment. Un jeune homme en pyjama déclare, excédé, que ce raffut ne sert à rien, sa voisine étant en voyage.

Le cantonnier replie son index ankylosé et le passe sur sa moustache avec un air d'extrême perplexité.

— Votre affirmation surprend Bichon, dit-il gravement. J'entends du bruit dans l'appartement. Un chat en ferait moins. Un chien davantage. Au moment où je vous parle, il y a quelqu'un derrière la porte qui nous écoute.

— Si on refuse de vous ouvrir, vous n'avez pas à insister, reprend le jeune homme. Je travaille de nuit, moi, monsieur !

Et il disparaît.

À cet instant, venant de l'appartement de Faustine, une voix lasse demande s'il y a le feu à l'immeuble. Bichon crie que tout va bien. Puis il se baisse pour chuchoter à travers la serrure qu'il a un message important à communiquer.

— Glissez-le sous la porte. Je le lirai quand ma migraine sera passée.

— Il n'y a pas de lettre, madame. Le message, c'est moi.

— Qui êtes-vous ?

— Marcel Bichon. Cantonnier des cinq communes et fossoyeur intermittent.

— Que voulez-vous ?

— Je viens vous parler de Kochko qui n'est plus en état de plaider lui-même sa cause.

— Il est malade ?

— Pire !

Ces paroles créent de l'agitation dans l'appartement. Un meuble qui obstrue la

136

porte est déplacé. Un verrou tourne. Puis un second. Le battant tenu par la chaîne s'entrouvre sur deux yeux fiévreux.

— Kochko est mort?

Bichon, qui n'est pourtant pas un rusé, prolonge-t-il volontairement l'équivoque? Le fait est qu'il ne répond pas à la question et que Faustine, alarmée par son silence, s'empresse d'ôter la chaîne et d'ouvrir.

— Jamais je ne me le pardonnerai, dit-elle en fondant en larmes. Il voulait que je parte avec lui... Maintenant il est trop tard...

Bichon entre d'un pas résolu dans l'appartement et regarde tour à tour la femme en kimono noir, qui sanglote sans retenue, et l'incroyable capharnaüm au milieu duquel elle vit. Des cartons, des papiers, des journaux partout, des habits sur toutes les chaises, des assiettes sur les tapis, pleines de cendres et de mégots, les restes de chips et les pots de yaourts de plusieurs semaines abandonnés sur toute surface horizontale disponible, tables basses, guéridons, manteau de cheminée, étagères, divans.

— Comment est-ce arrivé, monsieur? A-t-il souffert? Vous a-t-il parlé de moi avant de mourir?

137

Bichon hésite. D'un côté il doit détromper au plus vite la malheureuse. De l'autre sa mission lui impose de mettre toutes les chances de son côté. Sans se départir de sa légendaire franchise, il choisit d'esquiver les questions qui tourmentent Faustine.

— Kochko a passé des soirées à me parler de vous, madame, déclare-t-il avec un peu de solennité dans la voix. Il a acheté une masure dans la montagne et en a fait une des plus jolies maisons de la région parce qu'il pensait que vous viendriez y habiter. Si vous aviez vu comme il était joyeux quand j'ai eu collé le papier peint de votre chambre et que nous avons installé le grand lit aux montants de bois...

— Vous me donnez du remords !

— C'est Bichon qui a posé les carreaux de la salle de bains et les robinets de cuivre. Le jour où l'eau chaude a coulé pour la première fois dans la baignoire, Kochko m'a dit : « Ce sera du travail perdu si Faustine ne m'aime pas. »

— Taisez-vous, je vous en prie !

— La mort va vite, madame. Les regrets ont beau se lever de bonne heure, ils arrivent toujours sur le quai après que le train est parti.

Oh! Ils agitent de grands mouchoirs, mais qu'est-ce que ça change? Si j'étais vous, je n'attendrais pas que Kochko soit un fantôme pour vivre avec lui...

— Que voulez-vous dire?

Bichon se dirige vers une fenêtre, soulève l'espagnolette pour l'ouvrir, déverrouille le crochet de fer des volets et, en un geste un peu théâtral, bien qu'il soit improvisé, repousse du poing les deux persiennes, ce qui fait entrer le soleil et les bruits de la ville dans le séjour.

— Approchez-vous, madame! N'ayez pas peur! Bichon n'est pas sorcier, n'est pas magicien. Tant qu'il n'a pas levé sa pioche, on ne descend personne dans le trou...

Éblouie par la lumière du matin, les tempes serrées par la migraine, Faustine s'avance vers la fenêtre en traînant les pieds sans savoir pourquoi elle obéit à un inconnu en veste de chasse qui parle de lui-même à la troisième personne comme s'il était son propre employé. Trois étages plus bas, elle aperçoit, adossé au pick-up rouge, Kochko qui la salue avec son chapeau, et qui, dès qu'elle apparaît, se met à danser sur place comme Ray Sugar Robinson quand il montait sur le ring.

Et elle s'évanouit.

On raconte – mais que ne raconte-t-on pas – que Faustine reprit connaissance dans les bras du vieux boxeur qui avait monté quatre à quatre les escaliers. On dit que Bichon, pour se rendre utile pendant que les amoureux s'embrassaient, enfourna à pleines mains les détritus dans des sacs-poubelle à grande capacité et qu'il remplit ainsi à ras bords les deux conteneurs de l'immeuble, en dépit des protestations du gardien écœuré par tant de sans-gêne. On croit savoir que l'ex-chanteuse de music-hall passa un habit de voyage (blue-jean, chandail de coton, espadrilles), et qu'elle emporta – outre un mannequin de couturière en osier verni, une mallette de médicaments psychotropes, un nécessaire à maquillage et des boîtes à chapeaux de plusieurs tailles – onze valises de vêtements dont certains n'avaient jamais été portés, tandis que d'autres remontaient à l'époque où elle se produisait dans un ovale de lumière. On avance, sans preuve aucune, qu'il était six heures du soir lorsque la camionnette surchargée quitta Marseille avec à son bord le trio que nous connaissons. On signale que Faustine, assise entre les deux hommes, fut la première étonnée de ne plus avoir mal au crâne et que la disparition quasi magique d'une douleur qui la tourmentait depuis des mois constitua un événement personnel de bon augure. Conséquence de cette brusque guérison, elle regarda les paquebots de la Joliette empaquetés dans les scintillements du crépuscule comme si elle n'avait jamais vu de bateaux avant ce soir-là, et elle associa cette vision de papier cristal à son amour pour le colosse aux cheveux blancs contre qui elle se serrait. À sa droite, bizarrement silencieux, Bichon, la moustache ébouriffée et les joues pourpres, faisait de visibles efforts pour ne pas laisser éclater sa satisfaction d'avoir réussi et, du coup, souffrait le martyre.

On prétend que ni la densité du trafic ni la nuit qui descendait vite sur l'autoroute n'empêchèrent le conducteur de se tourner fréquemment vers la bien-aimée pour en admirer le profil ou solliciter un baiser, à telle enseigne que Bichon, jamais rassuré en voiture quand il occupait la place du mort, exigea des arrêts nombreux aux stations-service, sous des prétextes divers. Selon ce que l'intéressé lui-même déclara plus tard à la directrice de l'institut des malentendants, ce fut sur une aire de repos des Bouches-du-Rhône, dans une de ces cafétérias anonymes, reproductibles à l'infini, où l'on sert des hot dogs et des hamburgers à des voyageurs pressés, que le cantonnier prit conscience de la « responsabilité » qui lui incomberait désormais. Comme madame Karmatt, l'œil soupçonneux, lui demandait des précisions, il refusa de s'expliquer en disant qu'il se comprenait et que c'était bien suffisant. Faute d'informations de première main, on est en droit de supposer que la responsabilité dont M.L.B. s'était senti soudain investi dans le snack-bar concernait le triomphe ou l'échec de l'amour pour lequel il était intervenu en trichant un peu. Maintenant que Faustine et Kochko, assis côte à côte sur une banquette de skaï en face de lui, sem-

143

blaient si heureux d'être ensemble qu'ils en
oubliaient de goûter à la nourriture sur le plateau, deux voies s'offraient à leur entremet-
teur : ou bien il estimait que son œuvre était
accomplie, il se retirait du jeu et abandonnait
les amants à leur destinée ; ou bien, poursui-
vant sur un plan supérieur la tâche entreprise,
il mettait au service de son ami les ressources
d'un esprit fertile et candide. Être le gardien
d'un bonheur auquel lui-même avait échappé
par une décision des dieux qui l'avaient rendu
orphelin, telle fut l'illumination de Bichon
dans cette cafétéria sans mystère qui ressemblait à beaucoup d'autres. Quand un homme
poursuivi par les risées depuis l'enfance n'a
d'autre soutien que les voix qu'il a entendues,
les visions qui peuplent ses insomnies et le
glissement des nuages, s'il aperçoit de loin un
refuge dans la tempête, soyons sûr qu'il y pas-
sera la nuit. Bien que tous les éléments de
cette histoire ne me soient pas encore parve-
nus (et il est à craindre que certains ne sortent
jamais de l'ombre), je suis en mesure d'affir-
mer que Bichon, en remontant dans la
camionnette après un dernier coup de rouge,
se sentit ragaillardi par la haute mission qu'il

s'était fixée. C'est pourquoi, si j'avais sous la main les paroles d'une chanson de cantonnier (car le blues des fossoyeurs ne sera jamais à mon goût), c'est ici que je les mettrais dans la bouche du passager. Tandis que Kochko et Faustine se serreraient l'un contre l'autre avec tous les risques d'embardées qu'on imagine, le chanteur à voix de fausset remplirait la cabine de son fredon. Et soufflerait dans son harmonica entre les couplets.

L'arrivée à Pierrefroide autour de minuit fut une fête pour Kochko et le triomphe de Bichon. L'air glacé, le silence de la montagne, le croissant de lune au-dessus du Fer-à-Cheval, tout concourut au saisissement de Faustine qui pleura de joie dans les bras de son amant.

Il est à noter cependant que Bichon, après avoir transporté plusieurs valises dans la maison, refusa la proposition d'y dormir comme il l'aurait fait si Kochko avait été seul. Au grand regret de son ami qui tentait de le retenir, il repartit dans la nuit, en cyclomoteur, la moustache au vent et le bonnet de laine sur les oreilles. Et il y a fort à parier que le double grog qu'il avait pris avant de partir lui tint lieu de chaufferette dans les lacets étroits de la descente tandis que la pétarade de son engin dérangeait la chasse silencieuse du grand duc et de quelques prédateurs de moindre rang.

Bichon resta longtemps sans retourner à Pierrefroide. Sa discrétion lui interdisait de déranger Kochko dans sa lune de miel. Cependant, du matin au soir, il pensait à la jeune femme, là-haut, défaisant les onze valises sur le carrelage rouge posé par lui, rangeant les costumes de scène dans les penderies dont les tringles flexibles devaient ployer, tisonnant les bûches de la cheminée ou réglant l'horloge du four, puis prenant des bains de mousse dans la baignoire en observant le paysage grandiose par la vitre placée à hauteur des yeux.

Comme il l'avait prévu, Faustine s'adapta vite à sa nouvelle existence. Au bout de trois jours, elle cessa de sangloter à tout propos, de se plaindre de la fatigue, de marcher en traînant des poids aux chevilles. Son compagnon veillait sur elle discrètement et ne la quittait que pour aller au supermarché de La Fourche faire les courses. À son retour, il lui offrait un bouquet de roses ou une orchidée qu'elle posait sur le marbre de la coiffeuse. Enfin, un dimanche de février où les cinq communes avaient organisé une foire dans un gymnase, il retira du pick-up couvert de neige trois grandes jarres vernissées qu'il installa sur la terrasse.

Pour Kochko tout était prétexte au bonheur – et le bonheur a sa liturgie, ses rendez-vous, sa jurisprudence secrète. Dès que Faustine passait près de lui, il la retenait par le bras, la faisait rire en exagérant son accent, la soulevait par les coudes comme une enfant ou lui posait les mains sur les épaules, ses mains énormes, puissantes, rapides, qui avaient porté tant de coups, tué peut-être, et qui ne pesaient rien quand elles se glissaient adroitement sous ses cheveux.

Les premiers temps, elle avait résisté à ses attentions, à ses caresses. Elle lui disait qu'il venait trop tard, il perdait son temps avec elle, son cœur était mort, elle ne sentait rien, n'éprouvait rien, mais elle répétait ces mots avec de moins en moins de conviction.

Lorsqu'elle prétendait être incapable de s'émouvoir parce que ses désirs se seraient émoussés, que pouvait faire Kochko sinon lui prouver qu'elle était dans l'erreur? Déjà, sans s'en rendre compte, elle choisissait spontanément la coiffure qu'il préférait et les robes qui lui avaient attiré des compliments. Plus tard, elle pensa que cet homme-là avait une façon de la regarder, de l'écouter et de lui laisser le champ libre qu'elle n'avait rencontrée chez aucun autre. Elle se confia à lui.

— Mon père était employé dans un palace de la promenade des Anglais, lui dit-elle un matin où ils marchaient près de la maison. Portier de jour. Chasseur en livrée. Quand j'étais toute petite et que nous passions au large de l'hôtel, ma mère me montrait de loin sa silhouette, à travers les palmiers. Il se tenait debout, devant la porte à tambour, impénétrable et attentif comme un militaire en faction. J'étais très fière de sa capote de drap rouge à galons dorés, de ses gants blancs, de ses bottines bien cirées et de sa casquette vermillon qu'il soulevait pour accueillir les hôtes de marque. J'aurais voulu courir vers lui, mais maman me retenait. Il ne fallait pas le déranger pendant le travail, car c'était un travail de saluer les milliardaires, de tenir au-dessus d'eux la coupole d'un parapluie ou d'appeler le voiturier. Parfois, dans le temps où nous l'observions, il recevait un billet de banque en pourboire et je serrais très fort la main de ma mère, avec une joie que je n'ai pas retrouvée quand j'ai touché mon premier cachet de chanteuse. Quelle chance d'avoir un père si bien habillé, apprécié de tous les clients, qui n'avait qu'à se montrer dans un costume d'apparat pour gagner sa vie!

« Qu'est-ce qui fait que nos sentiments changent alors que rien n'a bougé en apparence? Dix ans plus tard, la même scène devant l'hôtel me remplissait de honte. Je voyais un homme obséquieux qui faisait des simagrées pour amener de richissimes voyageurs à se délester d'une somme insignifiante. Était-il vraiment humilié? Je ne le crois pas. La certitude d'être utile à la bonne marche du palace, la volonté de tenir son rôle à la perfection lui donnaient de la fierté. La souffrance, l'humiliation, c'est moi qui les éprouvais. Je me disais, jamais comme lui. Jamais la soumission et les courbettes...

149

Kochko la laissait parler sans l'interrompre. Tout au plus la relançait-il par une plaisanterie, quand le ressentiment ou la tristesse la suffoquait. Il voyait qu'elle avait besoin de se démarquer d'un passé qui lui était resté dans la gorge, mais c'était à elle d'agir, à elle de braquer le projecteur sur ses illusions englouties, il ne pouvait pas le faire à sa place.

— Tout le monde disait que j'étais belle, poursuivait Faustine. Je prenais des cours de danse. J'avais un filet de voix. Pour que mon père me fiche la paix, j'avais passé le diplôme d'infirmière mais j'attendais mieux de la vie. Et qu'y a-t-il de mieux, à défaut des princes charmants auxquels j'avais quand même cessé de croire, que de rencontrer, dans le service de l'hôpital où j'effectuais mon premier stage, un opéré se disant imprésario qui se déclare prêt à vous mettre le pied à l'étrier?

— Tu n'avais donc pas compris qui était ce Monsieur Armand?

— Je ne voulais pas le savoir. J'étais éblouie. Au début il m'a offert des cours de chant, il m'a acheté des habits, il disait que j'irais loin. C'est lui qui a mis au point mon numéro...

— Et un soir il t'a annoncée comme la révélation de l'année...

— C'était du théâtre. Ou du cinéma... Il y avait la musique, les éclairages, la chorégraphie... Le pianiste du cabaret avait écrit quatre chansons pour moi. J'avais un prénom russe pour nom de scène... Le public me réclamait... On buvait du champagne tous les soirs... Si un homme devenait pressant, je te faisais signe et tu le jetais dehors... Je ne touchais plus terre, tu comprends ? Du moins, la première année...

Elle n'avait pas besoin d'évoquer la suite qu'ils connaissaient tous les deux. Un soir Faustine – ou plutôt Olga – s'était vue remplacée par une étrangère que Monsieur Armand présenta au public du Cheval Rouge avec les mots dont il s'était servi l'année précédente. Pour ne pas finir entraîneuse, elle s'était enfuie de nuit en abandonnant ses affaires, avait erré près de la gare avec la pensée de prendre le train pour Paris au lever du jour, et son destin aurait été d'être ramenée de force et punie si l'insoupçonnable Kochko, qui avait été chargé de ce travail, ne l'avait cachée chez lui quelques semaines.

— Pourquoi m'aidez-vous? lui avait-elle demandé en découvrant l'appartement qui l'abriterait. Je croyais que vous me méprisiez. Nous ne nous parlions jamais.

— J'ai toujours boxé dans ma catégorie, avait-il alors répondu. Je ne pourrais pas battre une femme.

— Est-ce que vous m'aimez?

— Je n'en suis pas sûr.

— C'est une drôle de réponse.

Ce que Kochko à l'époque n'avait pas dit à Faustine, c'est qu'il avait fait un peu plus que de l'héberger. Le premier propriétaire du Cheval Rouge avait été un Écossais du nom de Duncan, un ancien coureur de rallyes. Son bras droit, le jeune Armand, qu'on n'appelait pas encore Monsieur, s'occupait alors du recrutement des artistes et de la régie des spectacles. Il s'entendait mal avec le patron et cherchait à l'évincer, mais il n'en avait pas les moyens. Or, un soir de janvier, le sujet de sa Gracieuse Majesté se tua au volant d'une Jaguar sur la moyenne corniche. L'enquête conclut à un accident dû à l'alcool et à la vitesse excessive. Six mois plus tard, Monsieur Armand racheta le cabaret avec l'argent qu'il avait soustrait lui-même du coffre-fort.

Au moins deux personnes auraient pu dire pourquoi le bolide était sorti de la route dans un tournant : le garagiste qui avait saboté les freins et le videur du Cheval Rouge, Rainer Zschokkhe, dit Kochko, qui savait comprendre et se taire. Mais tous les secrets ont une fin. Comme par hasard, lorsque Faustine fut menacée, un informateur anonyme fit savoir à la P.J. de Nice de quelle façon, et par qui, l'assassinat avait été organisé. Le garagiste reconnut les faits et livra le nom du commanditaire. Monsieur Armand fut arrêté.

Tout l'été Faustine s'habitua aux séductions de Pierrefroide. Elle disait qu'elle n'avait plus peur et dormait normalement. Mais certains jours elle était nerveuse dès le réveil, elle se montrait irritable et tressaillait au moindre bruit. Alors Kochko, lui tendant une carabine, lui apprenait à tirer sur une boîte de conserve qui tenait le rôle du méchant. Elle était douée, paraît-il. Souvent, l'après-midi, il l'entraînait dans la montagne pour de grandes marches qui l'épuisaient et il lui disait au retour : « Nous allons de plus en plus loin chaque fois. C'est la preuve que ces sorties te fortifient. J'ai le sentiment que le Fer-à-Cheval nous porte chance. »

Ainsi arriva le mois de septembre. Déjà l'été se délabrait. Déjà l'automne imposait ses odeurs, ses couleurs, ses lumières de fumerolles. Un matin, Faustine se leva la première, passa des vêtements chauds et quitta la maison avant l'aube. Le froid était vif, l'air chargé de très fines gouttes de pluie. Elle hésita sur la direction à prendre et s'enfonça dans un sentier qui descendait vers une source où elle s'était rendue une fois avec Kochko. L'herbe était mouillée, des arbustes s'égouttaient sur ses cheveux. Alors qu'elle était au bout du chemin, elle aperçut dans la pénombre du sous-bois un vagabond à plat ventre devant le ruisseau. Pas de chance. Quelqu'un l'avait précédée dans ce recoin où elle aurait souhaité être seule ! Cette présence était importune mais aussi étrange. Que faisait ce rôdeur, habillé de loques terreuses, si près de sa maison? Elle avait déjà renoncé au plaisir d'atteindre la source et comptait s'en retourner sans être remarquée, mais l'individu leva la tête dans sa direction et la regarda méchamment. C'était Armand. Monsieur Armand. Condamné à la réclusion criminelle à perpétuité pour avoir commandité, organisé et maquillé le meurtre de son patron. Il fallait donc croire que l'assassin s'était évadé ou bénéficiait d'une remise de peine.

Une telle rencontre, quelques semaines plus tôt, se serait apparentée à un cauchemar. Ce matin-là, avec ses cheveux mouillés par la pluie et la joie qui emportait tout, il n'était pas question pour elle de fuir. Elle fit un pas vers le ruisseau...

Et le sortilège se disloqua. Là où elle avait cru voir un vagabond, il y avait un arbre renversé sur lequel se tenait une belette pleine de curiosité pour l'intruse qui s'approchait. La bête pencha son museau pointu pour observer la situation, se souleva légèrement et comprit qu'il était préférable de détaler.

Faustine resta seule près de la source

jusqu'à l'apparition du soleil à travers les bois, puis elle revint chez elle, le cœur léger. Kochko fumait dans le lit cette première cigarette de la journée, qui lui paraissait toujours la meilleure.

— Je suis allée jusqu'à la source, dit Faustine en passant la tête par la porte.

— Entre vite que je t'embrasse.

Elle s'assit sur le lit avec son manteau humide. Il abandonna sa cigarette et lui prit les mains. Elles étaient froides et raidies, il les réchauffa et les assouplit en jouant avec chaque doigt; puis il la saisit à bras-le-corps, la coucha sur le grand lit et la déshabilla sans se presser. Il était fini le temps où elle prétendait qu'il se donnait du mal pour rien, que cela faisait des années que les hommes ne la faisaient plus jouir, c'était comme ça, elle avait fait une croix sur le plaisir. À présent, couchée en travers du lit, elle riait dès que le boxeur lui prenait les seins dans ses mains qui sentaient le tabac. Comment avait-elle pu vivre si longtemps sans se soucier de cet homme qui n'avait pas son pareil? Pourquoi s'était-elle acharnée contre elle-même? Pendant qu'elle plantait ses ongles dans le large dos de Kochko en poussant de petits cris, très loin, au-dessus du Fer-à-Cheval étincelant, un convoi de nuages blancs glissait sans bruit.

— Tu sais qui j'ai cru apercevoir tout à l'heure près du ruisseau? dit-elle un moment plus tard à son amant qui s'était levé pour aller fumer à la fenêtre.

— Il y avait quelqu'un? demanda Kochko un peu surpris et peut-être déjà sur ses gardes.

— Non, c'est une illusion que j'ai eue. J'ai pris un animal pour une personne. Et pas n'importe laquelle. Devine qui!

— Bichon?

— Tu n'y es pas du tout. Bichon ne m'aurait pas effrayée.

— Qui alors?

— Monsieur Armand!

Kochko éclata de rire et jugea qu'une telle bourde l'autorisait à serrer de nouveau Faustine entre ses bras et à la couvrir de baisers.

— Qu'est-ce qu'il y a de drôle, Rainer? La perpétuité n'existe plus. Le salaud pourrait bien refaire surface et chercher qui l'a dénoncé.

— Évidemment, c'est la première chose qu'il ferait, dit Kochko en riant de plus belle. Mais encore faudrait-il qu'il réussisse à s'extraire de son cercueil. Crois-tu que nous serions ici, tous les deux, s'il n'était pas mort en prison?

Ce jour-là Faustine sortit les anciennes robes de ses malles et installa ses objets personnels dans la maison. Elle chantonnait, elle riait seule, elle s'arrêtait devant les miroirs pour vérifier sa coiffure, elle ouvrait les fenêtres sur la montagne, elle prenait des décisions.

— Penser, glissait-elle à l'oreille de son ami, que j'ai vécu ces dernières années dans la terreur d'un homme mort!

— C'est une belle leçon, disait Kochko. Moi aussi j'ai connu la peur jusqu'au jour où des marins m'ont fait faire le grand saut...

— C'est là qu'un gamin t'a lancé une bouée?

— Le jeune Paco, oui. Mais elle est tombée loin de moi et la houle était énorme. Il m'a fallu près d'une heure pour la saisir. Quand on m'a hissé sur le pont, grelottant et à bout de forces, je n'étais plus l'homme qu'on avait jeté par-dessus bord. Un autre est sorti de l'eau à ma place.

Après un septembre froid qui semblait annoncer les premières rigueurs de l'hiver, d'importantes masses d'air tiède arrivèrent de l'Atlantique. En octobre, La Fourche battit le record de pluviométrie établi au début du siècle. Des caves furent inondées, des murs s'écroulèrent, des sentiers disparurent sous des ruisseaux dont le lit était à sec depuis des lustres. L'aire de jeux de l'institut resta impraticable plusieurs semaines.

Il se trouva qu'un mercredi après-midi Bichon réinstallait des plantations sur le nouveau rond-point des cinq communes lorsqu'il vit surgir au-dessus des flaques la camionnette qu'il connaissait. Kochko arrêta le véhicule sur le bas-côté de la route, coupa le moteur et rejoignit le terre-plein.

— Alors, cher ami, on ne vous voit plus. Que se passe-t-il? Vous êtes fâché? Ce matin encore Faustine me demandait de vos nouvelles...

Il y avait beaucoup de tendresse dans ces reproches. Le cantonnier, sous l'empire de l'émotion, se trouva soudain privé de l'éloquence un peu solennelle qui lui permettait de ne pas perdre la face.

— C'est que... Vous voyez... Bichon n'aime pas se sentir de trop... S'il n'y a pas de chaise pour lui, il reste debout... L'autre jour, j'ai entendu à la radio qu'il n'y avait plus une seule place pour le concert de Hallyday...

Il se baissa brusquement, ramassa un caillou et racla la terre collée à ses doigts.

— ... Je ne sais plus pourquoi je vous ai parlé de Johnny... Comment va Faustine?

— Vous ne la reconnaîtrez pas. C'est une autre femme. Etes-vous libre samedi?

— Pas le matin.

— Je vous attends à midi. Vous passerez la journée avec nous!

Bichon regarda s'éloigner la camionnette et se remit au travail. Vers cinq heures, le maire de La Fourche qui rentrait chez lui en moto

160

lui cria quelque chose en passant et lui fit un signe d'amitié. Il y a des jours où tout va de travers, et d'autres où il suffit de planter des fleurs sur un terre-plein pour que tous les bonheurs affluent vers vous. Bichon poursuivit ses plantations jusqu'à la tombée de la nuit et rentra chez lui en fredonnant. Sur la tablette du buffet, à côté de la tour Eiffel de faïence que lui avait rapportée de Paris la secrétaire de mairie, le transistor qu'il avait oublié d'éteindre le matin annonçait un week-end de grisaille au nord et de violents orages dans le Sud. Décidément, le temps ne changeait pas, le climat était détraqué. Comment savoir si la Terre n'allait pas finir sous les eaux comme une pomme qui pourrit dans une flaque?

Le samedi suivant, sous la pluie battante, Bichon se présenta à Pierrefroide avec un bouquet de roses pâles qui dépassait de la sacoche du cyclomoteur. Faustine, vêtue d'une tunique de soie noire et d'un châle rouge à franges dorées, le remercia comme s'il avait été un admirateur de longue date venu la saluer dans sa loge après un spectacle. D'une voix chaude, grave, amicale, elle l'invita à reti-

161

rer au plus vite son blouson dégoulinant et à se sécher les cheveux dans une serviette qu'elle lui tendit. « Rainer est à la cave, dit-elle en désignant Kochko par un prénom qu'elle était la seule à employer. Vous savez comment il est. Il ne se contente pas de choisir le vin en fonction des plats. Il tient compte de la saison, de l'heure, de la météo et de l'humeur de ses amis. » Bichon l'ignorait. Il avait vidé des dizaines de bonnes bouteilles sur la terrasse sans se douter qu'elles avaient été l'objet d'une sélection aussi tatillonne.

Pendant que Faustine épointait les tiges trop longues avec un minuscule sécateur et plaçait les roses mouillées, une à une, dans un joli vase de verre soufflé qu'il ne connaissait pas, il suspendit son blouson à la patère de bois verni, entre le ciré jaune de Kochko et un court manteau de pluie transparent. Depuis qu'il avait franchi le seuil de la grande pièce, il ne pouvait s'empêcher de remarquer les petits riens qui témoignaient d'une présence nouvelle dans la maison. C'était une paire de socques rangés contre un mur, un coffre en bambou dans l'entrée, une boîte à couture posée dessus, un foulard de soie sur une

chaise, des flacons, des livres, des médicaments, des lunettes de soleil à demi sorties de
leur étui sur le manteau de la cheminée et un
poste de radio. C'était aussi la lampe d'archi-
tecte qui éclairait le plan de travail, le buste de
couturière rangé dans un angle de la pièce et
l'odeur des bâtonnets d'encens qui brûlaient
sur le rebord de la fenêtre.

— Il y a longtemps que vous êtes là?
demanda Kochko en surgissant par la porte
du fond, les bras chargés de bouteilles.

— Trois minutes.

— Vous n'avez pas craint d'affronter
l'orage avec votre engin?

— Pas de problème.

— Vous auriez dû attendre que je vienne
vous chercher.

— Oh! J'ai l'habitude. Le mauvais temps
n'a jamais empêché Bichon de circuler dans le
pays.

Faustine plaça son invité au bout de la
table. Il avait toute la pièce sous les yeux,
c'était presque trop. Il semblait nerveux et se
tamponnait le visage avec la serviette blanche
sans réussir à stopper les gouttelettes de trans-
piration qui roulaient de ses gros sourcils
comme une résurgence d'anciennes larmes.

163

Kochko déboucha un côtes-du-rhône et servit le vin avec les hors-d'œuvre. Bichon croqua des amuse-gueules, goûta le rouge, reposa le verre à pied devant lui et déclara d'une voix étranglée :

— Vous êtes drôlement bien ici! Ce n'est pas comme là-bas où l'eau s'infiltre dans la terre. Si vous saviez le travail que ça donne à Bichon toute l'année... Mais vous, dans cette maison, on peut dire que vous êtes... que vous êtes...

Un accès d'angoisse l'empêcha d'achever sa phrase. Avait-il été indiscret? Il chercha du regard Kochko qui dépliait sa serviette sur les genoux d'un geste paisible et il se sentit rassuré.

— Servez-vous davantage, disait Faustine. Prenez du jambon et des crudités. Vous n'aimez pas les œufs mimosa?

— Oh! Bichon aime tout.

— Alors ne vous gênez pas. Vous êtes chez vous. C'est vrai que nous sommes bien ici. Vous avez eu la main heureuse. La vue est superbe. Surtout le matin quand on ouvre les volets. Mais dès que la nuit arrive, je me sens un peu isolée. Heureusement nous avons le téléphone depuis avant-hier.

— Les premiers jours ont été difficiles, déclara Kochko.

— Cela faisait longtemps que j'étais malade. Tout ce qui était nouveau m'épouvantait. Alors vous pensez, quand je me suis vue seule dans ce trou...

— Ce n'est pas un trou, c'est une hauteur! protesta Bichon qui ne pouvait laisser passer une erreur aussi funeste.

Et, comme Faustine hochait la tête avec l'air de suggérer que, pour quelqu'un qui avait connu l'animation des grandes villes, une hauteur pouvait être un trou si ça lui chantait, il ajouta, emporté par l'indignation :

— Il ne faut pas dire n'importe quoi! Un nid d'aigle, c'est tout le contraire d'un trou. Bichon a sorti sa pioche pour des centenaires. Il l'a levée pour des premiers communiants. La mort va vite. Le regret fait du surplace. Quand la famille du défunt repart en voiture, qui reste seul avec la pelle?

L'ancien boxeur n'ignorait pas que le lyrisme de son ami devait être contenu. Il leva sa large main gauche, celle qui avait mis au tapis Wakefield au troisième round par un uppercut foudroyant, et il la posa sur l'épaule de Bichon, ce qui eut pour résultat immédiat d'interrompre ses effusions et, pour effet secondaire, de lui rappeler qu'il était attablé devant un tajine d'agneau dont le fumet se répandait dans tout le séjour.

— Je ne sais pas si Faustine vous a dit que nous irons à Mende cette semaine, lança Kochko avec l'intention évidente de proposer un sujet de conversation qui ne réveille pas les hantises du cantonnier.

— Pour quoi faire? murmura Bichon, les yeux dans le vague, la serviette devant la bouche.

— Rainer m'offre un scooter! Nous allons le choisir. Comme ça, je serai libre d'aller et venir sans dépendre de mon chauffeur.

Bichon finit son assiette et son verre avant de marquer une approbation pleine et entière de cet achat. À condition de ne pas oublier de faire le plein, le scooter était ce qu'il y avait de mieux pour une femme qui voulait découvrir seule le pays. Lui-même, avec son « cyclo », s'était rendu dans des endroits où personne ne s'était avisé d'aller avant lui. Mais gare aux sangliers qui traversent sans prévenir! Et attention surtout au mauvais temps!

— Aussi vite qu'aille votre bécane, précisa-t-il, si le ciel noircit et s'il y a une odeur de paille dans l'air, faites demi-tour... La tempête a réglé son sort à plus d'un... Parfaitement... Un soir Bichon suivait le sentier des crêtes, entre Guermier et le Planel. Pas un seul nuage sur moi, mais une barre noire qui montait de l'horizon et les corneilles qui fuyaient. L'air sentait la paille moisie, mauvais signe ; j'étais jeune, je l'ignorais. Avant que j'aie pu me mettre à l'abri, d'un coup l'orage qui déboule...

— Comme aujourd'hui.

— Mille fois pire ! Si vous n'avez pas été dans la tornade, vous croirez que j'exagère. Bichon ne ment pas. Bichon dit ce qu'il a vu. Tout a commencé par un vent comme on en compte deux par siècle. Cent soixante-dix kilomètres à l'heure au Planel. C'était écrit dans le journal. Question : Est-ce que le vent peut être aussi noir qu'un fond de cave ? Oui, madame ! Il y a des vents rouges, des vents gris, des vents livides, des vents blonds, des vents brûlés, des vents pommelés, des vents sans couleur ou vents albinos, des vents lilas. La rafale qui m'a projeté par-dessus le guidon, c'était le vent noir qu'on appelle aussi « la cape du diable » parce qu'il arrive avec la foudre et qu'il se retire aussi vite qu'il est venu en ouvrant la porte aux enfers. J'étais étendu sur le sol, le nez en sang, le cyclomoteur dans les bruyères. Le temps que je reprenne mes esprits, je vois descendre sur Bichon, à la verticale du ciel, de grandes murailles de pluie. Je connaissais l'ondée, l'averse, le grain, la bourrasque. Rien de tout cela ne vous donnera une idée de ce déluge. J'étais cerné, fouetté, bousculé, repoussé, assommé, sans pouvoir trouver la sortie entre les colonnes d'eau si serrées qu'un serpent n'aurait pas passé à travers. Avec ça, des éclairs de tous les côtés. Un grondement à vous rendre sourd. Soudain, du plus profond des grandes falaises de pluie, une voix douce me demande : « M.L.B., qu'est-ce que tu me donnerais en échange si je te tirais de là ? » Pas le temps de marchander, très vite il faut faire une proposition. Je réponds, prenez mes économies qui sont sous mon lit et ne touchez pas aux outils. Sinon comment les morts seront enterrés ? À l'instant la pluie a cessé, les falaises se sont dissoutes dans le soleil, quelques gouttes par-ci, par-là, au creux d'un rocher ou

sur l'herbe. J'ai redressé le guidon du cyclomoteur, j'ai essuyé la selle avec mes manches
et je suis descendu à La Fourche. Pendant
l'orage un voleur avait forcé la porte de ma
Cabanette, il avait pris tout mon argent. On
n'a jamais su qui c'était.

— Quelle histoire! dit Faustine.

— Ah! non! Ce n'est pas une histoire,
protesta de nouveau Bichon. C'est ce que j'ai
vécu de pire sur le moment. Et par la suite de
plus beau.

Il était en nage. Kochko lui tendit un mouchoir en papier. Il s'essuya le front et la moustache. Il demanda un verre d'eau. Il le vida
d'un trait puis il se leva et alla reprendre son
blouson.

— Il me faut rentrer maintenant.

— Vous avez le temps. Qu'est-ce qui vous
presse? Pourquoi n'attendez-vous pas le dessert que Faustine a préparé en votre honneur?

Il se rassit en s'excusant, dévora une double
portion d'île flottante, but le champagne et
plusieurs tasses de moka, essaya le cigarillo
que Faustine avait allumé, faillit vomir et
somnola une partie de l'après-midi, la joue sur
la nappe, les mains pendantes, rassuré.

Il rentra chez lui à la nuit tombée, se coucha tout habillé et dormit jusqu'au lendemain. À son réveil, une pluie fine de novembre avait succédé à l'orage. L'air était froid. Dans la journée, il se rappela le châle rouge, la tunique de soie noire, les roses mouillées, Kochko remontant de la cave avec les bouteilles, son sourire, sa nonchalance, toutes ces petites félicités que le décousu des souvenirs recomposait en paradis. Qu'importe s'il n'en avait pas la jouissance, s'il se retrouvait aussi seul, aussi nu qu'avant. Désormais sa vie serait différente puisqu'il avait là-haut des amis qui s'aimaient d'un amour inimaginable comme le sont les vraies amours.

Les jours suivants, il se montra satisfait de lui, glorieux, presque vantard, au point que les personnes qui croyaient bien le connaître, à commencer par le maire de La Fourche, son employeur, et la secrétaire de mairie, crurent qu'il abusait des bienfaits caloriques de la boisson. Madame Karmatt, que cette gloriole inquiétait, quoiqu'elle n'eût constaté aucun manquement particulier, convoqua son protégé dans son bureau.

— Vous vous faites rare, ces derniers temps, Marcel Louis!

— Rare?

— J'ai l'impression que vous nous boudez.

— Pas du tout!

— En tout cas, vous venez nous voir moins souvent. Samedi dernier par exemple...

— J'ai passé la journée à Pierrefroide.

— En somme vous préférez vos nouveaux amis aux anciens.

Bichon essaya d'expliquer à la directrice ce que représentait pour lui – et surtout pour Kochko – l'arrivée d'une femme comme Faustine. Il marmonna dans sa moustache encore une fois que la mort va vite et qu'il faut être très malin pour garder une courte tête d'avance. Mais il s'embrouillait en parlant, des pensées contradictoires l'agitaient, il se rendait compte qu'on attendait de lui des explications qu'il n'avait pas, une mise au point. Comme il ne parvenait pas à reprendre son calme, il se leva et s'approcha de la fenêtre. Dans le parc déjà assombri, les enfants formaient des groupes silencieux qui ne se mélangeaient pas.

Les plus petits entouraient une monitrice qui gesticulait. Debout sur les balançoires, des intrépides montaient de plus en plus haut. Les grands jouaient au foot et l'un d'eux, qui portait un maillot au nom de Zidane, tentait de faire tourner le ballon autour de lui en se déhanchant comme son idole. Bichon se rappelait qu'il avait fait partie d'une équipe de minimes en un temps où il ignorait que la vie est aussi indécise et injuste qu'une séance de tirs au but. Il resta ainsi à la fenêtre plusieurs minutes, tournant le dos à madame Karmatt qui soufflait délicatement sur les verres ronds de ses lunettes pour les humecter de buée avant de les essuyer à la manche de son corsage, ce qui était le signe chez elle d'un émoi mal dissimulé. Si Bichon s'était retourné à ce moment-là, peut-être aurait-il remarqué la lueur de sympathie qui s'était allumée dans les yeux de la myope. Mais, quand il se rassit devant le bureau, madame Karmatt avait repris ses lunettes et son masque directorial.

— Je ne sais pas si vous avez retenu que nous célébrerons le mois prochain le dixième anniversaire de notre institut, dit-elle d'une voix sèche. Le directeur de cabinet du ministre de la Santé nous honore de sa présence. Ce doit être un jour de fête pour nos pensionnaires qui présenteront un spectacle à leurs parents. J'ai besoin de toutes les bonnes volontés. Puis-je compter sur vous dès ce week-end ou serez-vous dans les hauteurs en train de boire avec vos amis?

Ce n'était pas l'attitude imprévisible de son factotum qui rendait nerveuse la rigide madame Karmatt. Elle avait des soucis plus graves. L'institut des jeunes sourds et malentendants de La Fourche était le plus petit de l'Hexagone. Sa taille réduite qui constituait un atout pédagogique devenait un inconvénient à l'heure où l'on favorisait les grandes structures. Dans une interview donnée sur France bleue, la directrice n'y allait pas par quatre chemins. « Budget insuffisant, postes non pourvus, difficultés de trésorerie au quotidien. Je suis une administratrice, pas une funambule! Sans un effort de l'État, notre établissement sera fermé avant six mois. En vérité, le gouvernement ne sait que faire de nous. Le ministère de la Santé nous soutient, du moins on le dit. Mais Bercy veut notre peau. Si nous survivons, c'est grâce au person-

173

nel qui travaille quarante-cinq heures, payées trente-neuf, aux bénévoles que je recrute sans vergogne et à quelques donateurs... »

N'écoutant que sa faiblesse, Bichon accepta sans discuter tous les travaux gros ou petits que madame Karmatt lui demanda. Avec l'accord du maire de La Fourche, qui tenait à garder l'établissement dans sa commune, il rogna sur sa journée de cantonnier pour arriver de bonne heure à l'institut où des tâches plus urgentes l'attendaient. Il lessiva les murs et le plancher de la salle des fêtes, repeignit les encadrements de fenêtres, nettoya le grand lustre de verre blanc dont il remplaça les ampoules, puis il construisit l'estrade et monta les panneaux de liège sur lesquels les dessins des enfants seraient exposés. Et toujours, en accomplissant ce programme, il sifflotait, marmonnait, grommelait, réprimandait une serpillière rebelle, félicitait une tête-de-loup, mettait le pied dans un baquet d'eau savonneuse, renversait sa boîte à outils ou tombait lui-même de l'échelle. Quand une tâche l'occupait, les montagnes pouvaient se fendre et les volcans se réveiller, il ne pensait qu'à la finir et oubliait l'heure. Et sans doute aurait-il souvent sauté le repas si madame Karmatt qui travaillait le soir dans son bureau n'avait eu l'habitude de parcourir les couloirs de l'institut avant de regagner son logement. Voyait-elle de la lumière dans la salle de réception, elle ouvrait la porte et interpellait le malheureux sur son escabeau :

— Encore là, Bichon ?

— Oui, madame.

— Dites donc, vous avancez à pas de géant !

— Je le crois.

— Vous avez dîné au moins ?

— Pas encore.

— Ce n'est pas bien. Venez avec moi. Nous trouverons bien quelque chose à grignoter.

Il était onze heures, onze heures trente, minuit quelquefois. La cuisine était déserte, la vaisselle rangée sur le dressoir. La directrice sortait du congélateur une portion de blanquette ou de pot-au-feu qu'elle réchauffait elle-même au four à micro-ondes. Par timidité, par raideur ou par un ultime réflexe hiérarchique, elle s'interdisait de remplir l'assiette de son employé mais elle l'invitait à se servir.

Et tandis que Bichon, ses cheveux noirs couverts de plâtre ou de sciure, s'attablait devant le ragoût, elle l'invitait à mettre de l'ordre avant de partir, recommandation inutile, et elle filait vers son appartement, droite et raide sur les hauts talons de ses chaussures.

Une fois seul, Bichon ne s'attardait pas dans la cuisine. Son repas fini, l'assiette lavée et rangée, la lumière éteinte, il abandonnait la bâtisse silencieuse et descendait paisiblement l'allée qui menait vers la sortie. En cette saison, l'air était toujours frais, le ciel souvent couvert. Quand le vent du nord ne soufflait pas, des bancs de brume se disloquaient dans les grands arbres, postant des fantômes. Certains soirs la lumière de la lune scintillait sur les balançoires mouillées et sur le portail. Alors Bichon prenait le temps de se rappeler qu'il avait installé les agrès et peint la grille. Et il oubliait les fatigues de la journée.

Une nuit où il avait pris un raccourci à travers les bois pour rentrer chez lui, il entendit dans le lointain le ronflement régulier d'un moteur deux-temps. Une chance sur dix que ce fût le scooter acheté par Kochko, mais sait-on jamais ! Il courut jusqu'à la route et y arriva à l'instant où Faustine, le buste droit, bien que très légèrement incliné sur le guidon, passait devant lui à faible allure sans l'apercevoir. Il supposa que la conductrice se familiarisait avec l'engin à une heure où il y avait peu de circulation.

Le lendemain, il sortit de chez lui plus tôt que de coutume, car il devait passer chez le pépiniériste retirer des sacs d'oignons de tulipes achetés par la mairie. Tout au long de la matinée, alors qu'il plantait les bulbes sur un rond-point, il crut entendre le ronflement du scooter sur la route de Pierrefroide. Malheureusement, chaque fois qu'il levait la tête, la pie à l'aile cassée qui l'avait tourmenté au cimetière réapparaissait. À présent elle sautillait sur la route, tantôt d'un côté du rond-point, tantôt de l'autre, avec l'air insolent d'une vieille fille méchante, au courant de tous les vilains potins de La Fourche. Il la menaça de sa bêche à plusieurs reprises mais la maligne savait distinguer un morceau de bois d'un fusil de chasse. Elle gardait sa distance de sécurité et ne s'éloignait que si elle entendait venir une voiture.

Après un quart d'heure de ce manège, le cantonnier lança sa bêche sur l'oiseau qui disparut vers les sous-bois. L'outil rebondit sur le bitume et s'immobilisa sur le côté droit de la route, juste comme la voiture jaune des Postes arrivait. Reconnaissant Bichon, le conducteur passa la tête à la portière pour lui demander après qui il en avait.

— Il y a une pie qui n'arrête pas de tourner autour de moi et m'empêche de travailler.

— C'est vrai qu'on en voit de plus en plus. Elles s'attaquent aux couvées des autres espèces et elles gagnent du terrain d'année en année...

La voiture jaune s'éloigna. L'employé se remit au travail et il n'y eut pas d'autre incident. À midi les derniers oignons de tulipes étaient enfouis. Bichon rentra chez lui manger des sardines sur du pain beurré en écoutant le Jeu des Mille Francs. Il avait l'habitude de crier la réponse avant les candidats et il n'hésitait jamais à risquer ses gains virtuels en choisissant le « super banco ». Ce n'était pas son jour de chance. Il confondit le stéthoscope et le spec-troscope, plaça la Colombie-Britannique à côté du Venezuela et garda sur le bout de la langue le nom de la capitale de l'État de Washington. Mais cela n'avait pas d'importance. De nou-veau, il croyait entendre très loin, dans les hau-teurs, le ronflement aigu du scooter...

Madame Karmatt voulait donner de l'éclat au dixième anniversaire de l'institut des jeunes sourds et malentendants de La Fourche. Elle l'annonça dans les journaux, battit le ban et l'arrière-ban de ses donateurs, assiégea des élus dans leur permanence ou chez eux, et n'hésita pas à me propulser, d'abord malgré moi, puis avec mon assentiment, dans le petit cercle des acteurs de cette histoire. Voici pourquoi. J'anime une émission hebdomadaire sur France bleue. Je suis aussi le correspondant local d'un grand quotidien qui publie de temps à autre mes papiers dans les pages générales. Comme ces deux activités, aussi intéressantes soient-elles, ne suffisent pas à me mettre la tête hors de l'eau, j'ai créé Milonga Sud, une entreprise d'éclairage et de sonorisation des fêtes et des banquets. Pour madame Karmatt, j'étais l'homme de la situation. Aussi ne fus-je qu'à moitié surpris quand elle m'appela dans mon bureau à une heure de forte somnolence.

— Avez-vous reçu mon invitation, monsieur Milon?

— J'allais y répondre...

— Vous devinez l'enjeu de cet anniversaire? Il s'agit de sauver notre institut, rien de moins. Sans une campagne dans les médias, nous aurons plié boutique avant six mois.

— Je crains que vous n'exagériez mon influence...

— Ne raccrochez pas, j'ai un autre petit souci. Les pensionnaires présenteront des numéros dans la salle des fêtes. La mairie nous installe l'estrade et nous prêtera les chaises. Il ne nous manque plus que les micros, les haut-parleurs et les éclairages. Bien entendu, si vous nous aidez, le logo de votre entreprise figurera en bonne place dans le programme. Ce sera une excellente publicité!...

Je n'étais pas convaincu par l'argument commercial de madame Karmatt qui faisait feu de tout bois pour arriver à ses fins. Mais pouvais-je me dérober? Je savais qu'elle avait

obtenu la direction de l'institut à un moment
où la fermeture du lieu était envisagée, sinon
programmée, à Paris. Administratrice de l'État,
ayant toujours été une élève studieuse et docile,
elle avait été choisie pour sa silhouette grisâtre
qui ne laissait pas présager une forte person-
nalité. Grave erreur. Dès son arrivée à La
Fourche, son intelligence politique se réveilla
au contact des réalités. D'un côté il y avait des
chiffres, des comptes, des plans, des budgets,
des abstractions ; de l'autre des corps, des
visages, des histoires particulières, les éclats de
rire ou les drames silencieux des jeunes sourds
qu'elle croisait à longueur de journée et qu'il
était de son devoir de protéger. Elle n'hésita pas
une minute. Au risque de briser sa propre carrière, elle s'opposa à la liquidation en douceur
qu'on attendait d'elle et rallia à son combat les
parents des élèves, la presse locale et les responsables de la région. Comme un joueur qui voit
arriver la fin de la nuit et qui se cramponne à la
table, plus elle sentit la pression du temps sur
les épaules, plus elle se piqua au jeu. Ainsi cette
femme austère et timide, qui ne savait pas sépa-
rer son travail et sa vie privée, n'hésita pas à
se rendre chez les commerçants des cinq

communes à la seule fin de leur démontrer, chiffres à l'appui, le manque à gagner que représenterait pour eux la fermeture de l'institut. Et le bruit courut que, pour rallier à sa cause le propriétaire du Grand Café, connu pour ses positions extrémistes, et le gérant du Globe qui n'avait aucune opinion, elle se laissa inviter tour à tour à un repas de chasseurs et à un méchoui, et que l'on dut, les deux fois, la raccompagner au lever du jour tellement elle zigzaguait.

Cette anecdote, si elle est vraie, ce dont je doute, prouve que madame Karmatt pouvait être le contraire de la femme revêche qu'elle jouait. Une enfance meurtrie par la cruauté des adultes l'avait-elle rendue sensible à toutes les nuances de la déception et du désenchantement ? On ne saura jamais quel désastre familial avait développé en elle la honte de soi, le plus opaque et le plus despotique des préjugés. Incapable de goûter les menus plaisirs de la vie ni, à plus forte raison, les écarts qui en sont le chef-d'œuvre inconnu, elle s'interdisait de flâner chez les commerçants, de donner rendez-vous à une amie dans un salon de thé oriental, d'échanger par plaisanterie des recettes de séduction, d'oublier l'heure et de rentrer plus tard que prévu, en parlant aux chats et en balançant son sac. Et s'il lui arrivait de s'attarder devant des vitrines ou de s'émouvoir d'un parfum nouveau, elle s'en faisait reproche comme d'un temps consacré à des bagatelles alors qu'elle n'avait pas encore trouvé le budget pour repeindre les salles de classe.

À quarante ans, ayant tiré un trait sur son rêve de fonder une famille qui ne ressemblerait pas à la sienne, elle avait brûlé son journal intime et s'était sauvée de l'abus des somnifères par un carcan de règles fixes dignes d'une Commission de Bruxelles. Or, privilège des grands mystiques, dès qu'elle eut renoncé à ses illusions de jeunesse, une sève vivifiante irrigua son corps oublié et une puissance inconnue se leva dans son esprit comme des milliers d'étendards. Partie en quête d'un royaume, elle le découvrit à La Fourche, au milieu de soixante jeunes sourds, d'une équipe insuffisante d'enseignants et de moniteurs, et d'une petite cour de bénévoles.

Cependant le jour de la fête d'anniversaire arriva. En ce qui me concerne, tout était prêt : micros, enceintes, projecteurs, poste de régie. Bichon, levé avant le brouillard, se présenta dès sept heures trente dans le bureau de madame Karmatt, revêtu d'un costume gorge-de-pigeon qu'il avait acheté par correspondance et qu'il étrennait. La directrice lâcha une exclamation de surprise et repoussa derrière l'oreille une torsade de cheveux gris qui lui effleurait la joue, puis elle souffla sur les verres de ses lunettes avant de rappeler à son factotum les tâches qui lui incomberaient :

— Vous installerez les tables pour le buffet et vous ferez le relais entre la cuisine et la salle. Nous prendrons le repas debout, mais il faut prévoir quelques chaises le long des murs pour les personnes fatiguées. Je vous charge de servir les jus de fruits et les boissons sans alcool. Nous sommes d'accord ?

— Oui, madame.

— Surtout je vous recommande d'être discret. Ce n'est pas le jour de faire étalage de vos opinions. N'allez pas rappeler au représentant du ministre que la mort va vite et que l'existence est boiteuse. Un énarque doit le savoir. Est-ce que vous m'avez compris ?

184

— Oui, madame.

Il régna tout le matin dans l'institut une atmosphère d'excitation qui fut le meilleur de la fête. À une semaine de Noël et avant de passer aux choses sérieuses, l'hiver semblait vouloir se défausser d'une ultime journée d'arrière-saison, tiède et sans nuages. Le soleil bas éclairait les arbres du parc qui se découpaient en gris noir sur les profondeurs du ciel bleu. Dans les salles de classe, les enfants répétaient les numéros qu'ils présenteraient l'après-midi devant leurs parents : gymnastique au sol, pantomime, acrobaties. Bichon qui passait dans les couloirs en portant des plateaux de charcuterie s'arrêtait sur les seuils et repartait vite, l'air satisfait.

Peu avant midi un cortège de voitures, précédé par deux motards de la gendarmerie, franchit la grille du parc. Madame Karmatt descendit le perron pour accueillir un jeune chauve souriant qui remontait l'allée en compagnie du maire de la commune et d'un conseiller général acquis à la cause de l'institut. Toujours raide et soucieuse, elle leur présenta l'équipe éducative et les conduisit vers les enfants qu'on avait rassemblés au soleil le long d'un mur. À la demande du représentant du ministre, elle traduisit en langage des signes l'histoire drôle par laquelle il comptait dégeler la situation, et qu'il tenait de Coluche lui-même, précisa-t-il. Mais soit que les jeunes malentendants fussent trop intimidés pour goûter la plaisanterie, soit que la traduction simultanée lui eût fait perdre de son sel, les enfants restèrent de marbre. Seul un adulte, à une fenêtre, éclata de rire, et c'était Bichon qui avait écouté l'histoire la bouche ouverte, sans lâcher la barquette d'olives noires qu'il apportait sur une table.

La visite de l'établissement commença après les discours. Le directeur de cabinet parcourut les deux étages, pénétra dans toutes les salles, se fit ouvrir le dortoir et les sanitaires, jeta un coup d'œil sur la minuscule piscine, appelée par lui « bassin de poche », et il finit son inspection par une halte dans la cuisine où il reconnut, à son teint fleuri et à sa moustache, celui qu'il nomma plus tard, dans ses dîners ministériels, « le rieur au bol d'olives ».

La fin de cette visite coïncida avec l'arrivée des parents. Embrassades, rires, larmes de joie, apartés et petits cadeaux changèrent la nature de la réunion. Devant le buffet, pressé de ques-

tions par les familles, l'homme du gouvernement fit une brève mise au point dans laquelle,
tout en rappelant les difficultés financières qui
justifiaient la « mauvaise humeur de Bercy », il
se déclarait favorable au maintien de l'établissement « parce que sa petite taille, handicap sur le
plan de la gestion, est un avantage thérapeu-
tique ». Madame Karmatt qui n'avait pas
espéré un tel soutien en oublia de remplir son
assiette en carton.

Après le café, le public assista au spectacle
des élèves. Bichon retenu par le remplissage des
poubelles rata les exhibitions de hip-hop et
l'intermède d'un jeune Charlot qui fit rire
toute la salle et pleurer en silence une femme au
troisième rang.

Le cantonnier entrouvrit la porte à l'instant
où une horde de petits clowns quittaient la
scène sous des applaudissements ignorés. Il
s'assit sur la dernière chaise libre et suça un
bonbon à la réglisse en penchant la tête dans
l'allée pour apercevoir l'estrade qu'il avait ins-
tallée sans l'aide de personne. Et là, soudain, le

silence étant revenu, il se produisit un événement comme il n'en avait connu que très peu dans sa vie riche de la seule attente des miracles. Un, deux, trois, quatre, cinq adolescents, garçons et filles, commencèrent à jongler, chacun pour soi, avec trois balles de couleur. Bichon s'efforçait de suivre les balles qui montaient à hauteur des visages et retombaient au creux des mains sans se disperser ni se perdre. Cascades, colonnes, douches, fontaines. La relance et les rattrapages traçaient dans les airs les contours d'un temps suspendu qui défiait et magnifiait le hasard. Il pressentait un lien entre ces figures insaisissables et son cœur qui débordait et se reprenait, et qui débordait de nouveau et tremblait d'être soumis à la maladresse du monde.

Quand le numéro s'acheva sous les ovations, il desserra le nœud de sa cravate comme un homme qui étoufferait et il s'adressa à sa voisine qui s'était levée pour applaudir :

— Vous avez compris le truc ?

— Il n'y a pas de truc !

— Comment font-ils pour que les balles ne tombent pas ?

— Ça, monsieur, il faut le demander à Chloé. C'est la monitrice de jonglage. Elle est là, derrière vous, la demoiselle près de la porte. Allez-y. Elle vous expliquera.

Ce fut comme s'il avait reçu l'ordre de se lever et de poser sa question. Il se dirigea vers la jeune femme qui félicitait les cinq jongleurs. La monitrice connaissait de vue Bichon pour l'avoir déjà croisé dans les couloirs de l'institut. Elle lui demanda s'il désirait un renseignement.

— C'est ça, dit-il, un renseignement. Donnez-le à Bichon pour qu'il ait l'œil. Parce que, s'il n'y a pas de truc et que les balles ne tombent quand même pas, alors il faut aller sacrément vite... Et qu'est-ce qui va plus vite que le regret, mademoiselle ? Hein ? Vous voulez que je vous le dise ?

Il s'interrompit, le temps de suivre du regard madame Karmatt qui traversait le hall en compagnie du représentant du ministre. Il était tenté de livrer son point de vue sur un sujet auquel il tenait, mais il avait donné sa parole de ne pas évoquer la mort un jour de fête. Il se contenta d'une exclamation qui ressemblait à un soupir.

— Je dis qu'il faut faire vinaigre pour saisir la balle avant qu'elle touche le sol !

— Pas forcément, dit Chloé en le regardant dans les yeux. Le rattrapage est instinctif. C'est le lancer qui doit être précis. À l'École du cirque, on nous conseille toujours de prendre son temps! Vous avez vu le problème de décalage qu'ils ont eu avec le « Mill's Mess »? Tous les cinq ont raté leur départ, ils ont accéléré le rythme pour se rattraper et ils se sont trouvés pris de court, naturellement.

Comme il n'avait pas l'air de se rappeler l'incident, elle emprunta trois balles à l'un des enfants, chercha un espace dégagé et lui fit la démonstration du « Mill's Mess ». C'est alors que se produisit le second fait magique de la journée. Tandis que les bras de Chloé se croisaient et se décroisaient souplement, Bichon cessa de se concentrer sur le mouvement rapide des balles et porta son attention sur la monitrice. Où ai-je déjà vu ce visage-là? se disait-il. Ce n'était pas dans le journal. Ni au cinéma. C'était pour de vrai. Il y a longtemps. Quand je n'étais pas Bichon.

— Et maintenant, observez bien ce que je fais! disait la jongleuse dans un brouhaha. Je vais lancer la balle rouge avec un léger retard, vous verrez que l'ensemble de la figure va se désorganiser sous vos yeux...

Il se moquait bien du retard imprimé à la balle et du décalage qui en résultait. Ses regards

190

ne quittaient pas le visage retrouvé. Cette bouche, ce front dégagé, ces cheveux, cette fossette sur les joues, il croyait les reconnaître.

— Vous avez suivi ? reprit Chloé après avoir rendu les balles à l'enfant qui les glissa dans son minuscule sac à dos.

Bichon, par honnêteté, déclara que non. Mais il ajouta aussitôt :

— Ce n'est pas de votre faute, mademoiselle. Vous avez très bien expliqué. Mais je ne vous ai pas écouté, je préférais vous regarder...

Il préférait. Oui. C'était le mot. Il le répéta deux ou trois fois d'une voix de plus en plus faible qui obligeait la jeune fille à tendre l'oreille. Après quoi, ils se séparèrent, car des tâches différentes les attendaient. Cependant, tout au long de la soirée jusqu'à minuit, ils se cherchèrent du regard, se saluèrent d'un bout à l'autre du grand hall, s'attendirent dans les couloirs. Après la fête, avec tout le personnel, professeurs compris, ils empilèrent les chaises près de la porte, jetèrent les restes de pizzas dans des poubelles et s'aidèrent mutuellement à trier les bouteilles vides. Quand le rangement fut fini, la directrice qui n'en croyait pas ses yeux vit

l'employé intercommunal délaisser son cyclomoteur légendaire et partir dans la Peugeot
rouge de la jongleuse.

Dès lors Bichon et la monitrice « évitèrent de
s'éviter », selon le mot un peu aigre de madame
Karmatt, assez mécontente de voir que son protégé se mettait sur son trente et un les seuls
jours où Chloé donnait dans le parc ses leçons
de jonglage et de diabolo si appréciées des pensionnaires. Au cours de cet hiver-là, qui fut
excessivement doux et pluvieux puisque la première neige durable n'arriva qu'au début de
février, la responsable de l'institut eut de nombreuses occasions d'éprouver de secrets pince-
ments de cœur. Quoique ce fût contraire à sa
déontologie et qu'elle en eût honte, elle entrouvrit plus d'une fois la fenêtre de son bureau
pour espionner les allées et venues du factotum
et de la stagiaire. Les bribes de conversation
qu'elle surprenait n'étaient pas de nature à dis-
siper sa jalousie. Bichon adressait des déclarations enflammées à la jeune femme qui ne les
repoussait pas. À l'entendre, ils s'étaient aimés
dans une existence antérieure au fin fond de
la Voie lactée. Avec plus de détachement,
l'inflexible directrice aurait pressenti que cet

amour ressuscité n'avait pas plus de réalité pour Chloé (et pas moins de charme à ses yeux) que les contes de fées que son père lui lisait jadis pour l'endormir. Mais s'il n'y avait eu que les déclarations sous la fenêtre ! Le visage, le corps, les empressements du vieux garçon trahissaient la maladresse d'un bonheur qui ne lui était pas familier et dont il se faisait le servant ou le sacristain. Lorsqu'il traversait le parc au côté de la jeune femme, il ne marchait pas, il volait, il riait, il rajeunissait.

La félicité de Bichon ne pouvait échapper à Kochko qui avait appris avec le temps à reconnaître les sautes d'humeur de son ami, rien qu'à la façon dont il grimpait les quelques marches de la terrasse. À présent le cantonnier allait souvent à Pierrefroide où il était toujours bien accueilli. En semaine, il téléphonait après son travail pour annoncer son arrivée mais il ne restait jamais longtemps. Le dimanche au contraire il s'attardait tout l'après-midi, car c'était le jour où Chloé se rendait dans sa famille et il en éprouvait un sentiment de vide qui le poussait à parler seul. Quelquefois, à peine avait-il accroché dans l'entrée sa peau de mouton raidie par le gel qu'il se lançait dans un de ses monologues personnels qui mêlait l'insaisissable présent à un futur d'apocalypse. « L'autre nuit Bichon ne dormait pas à cause de la pleine lune. Il s'est mis à la fenêtre et devinez ce qu'il a vu : des nuages noirs bordés d'éclairs qui soutenaient un podium flottant en plein ciel. Sur le podium, Chloé jonglait avec sept globes de feu. Soudain, une tempête s'est levée à l'horizon, une masse énorme et luisante comme un corbillard rempli de vents, dévalant seul les montagnes. Je m'accrochais à l'appui de la fenêtre pour ne pas être emporté par le souffle noir. L'un après l'autre les sept globes se sont éteints mais Chloé soufflait dessus et les rallumait. Puis tout est devenu blanc et silencieux. Alors j'ai regardé ma montre aux aiguilles vertes : trois heures pile. Le lendemain Chloé m'a dit qu'au même instant elle s'était réveillée d'un cauchemar où elle jonglait sous la lune et qu'elle avait pensé à moi. »

Ni Kochko ni Faustine ne parvenaient à se faire une idée précise de la jeune femme à travers les discours du cantonnier. Se moquait-elle de lui en faisant mine d'entrer dans ses vues ou était-elle de bonne foi ? Ingénuité, perversion ou coquetterie ? Quel jeu jouait-elle ?

Pour en avoir le cœur net, Faustine proposa
à Bichon de venir avec Chloé le dimanche suivant, et, comme il ne répondait rien et semblait
réfléchir intensément, elle ajouta qu'elle était
très impatiente de connaître la jeune fille.

— C'est impossible... Elle n'est jamais libre
le dimanche...

— Alors disons samedi.

— Je lui transmettrai l'invitation.

Elle fut acceptée.

Et le jour où Bichon et Chloé arrivèrent
ensemble à Pierrefroide aurait pu être marqué
d'une étoile blanche ou d'un cœur fléché
comme ces dessins que l'on trace avec le doigt
sur la buée d'une fenêtre par une claire journée
d'hiver.

On était au début de mars. Les gelées de la
nuit avaient déposé des plaques de glace au
bord des chemins. Les conifères s'égouttaient.
Le Fer-à-Cheval scintillait dans le vent du nord.
Lorsque la Peugeot aborda le dernier tournant
à vive allure avant de s'arrêter sur le gravier
devant la maison, Faustine retira son tablier et
rajusta les peignes de ses cheveux. Kochko,
cigarette au lèvres, descendit l'escalier de la terrasse pour accueillir les arrivants. Bichon, hilare
et coiffé d'un bonnet, tenait une bouteille sous

chaque bras. Chloé en jean et parka portait un sac de sport à l'épaule.

— Soyez la bienvenue! dit Kochko en saisissant la main de la jeune fille.

— Nous avons beaucoup entendu parler de vous, ajouta Faustine après avoir embrassé deux joues fraîches au parfum très légèrement vanillé.

— Et vice versa! dit Chloé. Marcel m'a appris que vous êtes chanteuse. J'adore le music-hall!

— Oh! C'est du passé tout ça, mademoiselle, n'y revenons plus.

— Il m'a raconté aussi vos combats en Amérique!

Ces derniers mots s'adressaient à Kochko directement.

— J'espère qu'il s'en est tenu aux matchs que j'ai gagnés!

— J'ignorais qu'il y en eût d'autres. Il vous admire, vous savez!

— Je ne le mérite pas, mademoiselle.

Le champagne fut servi avec des fruits secs. Faustine leva sa coupe en l'honneur de son invitée. Plus tard, Kochko porta un toast mystérieux à un marin qui l'avait sauvé en mer de Chine.

Au cours du repas, Bichon parla peu, ce qui était inhabituel, presque choquant. C'est qu'il avait fort à faire pour s'assurer que Chloé ne manquait de rien. Il la dévorait du regard et en oubliait de manger. On aurait dit un ours apprivoisé veillant au bien-être de sa tzigane.

Pour satisfaire la curiosité de ses hôtes, Chloé évoqua son apprentissage à l'École du cirque, les leçons qu'elle donnait à l'institut et les projets grandioses qu'elle formait quant à la suite de sa carrière. Sa jeunesse, sa vivacité, la franchise et le bouillonnement de ses manières plaisaient à Kochko qui la provoquait par des questions.

— Chez moi l'ennui était une tradition, presque une valeur religieuse, disait Chloé. Toute joie était suspecte. J'ai été sauvée par le théâtre au lycée et par l'École du cirque. La jongle est une aventure. C'est aussi un tribunal où l'on passe en comparution immédiate. Si les balles tombent, la cause est jugée.

— Vous pensez en faire votre métier?

— C'est plus qu'un métier, c'est un art de vivre...

Faustine qui semblait suivre une rêverie personnelle lui demanda abruptement :

197

— Quel âge avez-vous?

— Dix-neuf ans, mais j'en parais moins, je sais. Tout le monde me le dit.

— Sauf moi, dit Bichon.

— C'est vrai. Avec toi, je me fais l'effet d'en avoir trente.

Faustine crut nécessaire de préciser pourquoi elle avait posé sa question. Loin de son esprit l'idée de tracer des frontières d'âge. Ce qui l'intriguait, c'était autre chose. En écoutant la jeune fille, elle était frappée par son étonnante maturité. Elle-même, à dix-neuf ans, avait été une petite oie.

Chloé protesta vivement.

— Oh! Non! Je ne suis pas mûre et je ne tiens pas à l'être! Les gens mûrs sont désespérants.

— Hé! Qui vous dit que nous ne sommes pas désespérants? demanda Kochko qui s'amusait de plus en plus.

— Il y a un moyen très simple de le savoir.

— Un test?

— En quelque sorte. Je veux créer à La Fourche un festival international de jonglage. Mon but est de faire venir ici les très jeunes artistes du monde entier, ceux qui n'ont pas encore fait leurs preuves et qui n'exigent pas de gros cachets. Vous imaginez trois mille jongleurs dans les rues des cinq communes ! Naturellement les gens mûrs jugent mon projet utopique et m'envoient promener.

— Si je vous suis bien, dit Kochko, vous cherchez des sponsors et vous nous demandez d'en être ?

— Vous avez tout compris.

— Accepteriez-vous de l'argent sale ?

— Je suis prête à porter les valises du diable si nécessaire.

— Là, mademoiselle, on voit que vous n'avez pas eu souvent affaire à lui. Ces valises-là, elles ont de jolies poignées et leur cuir est de premier choix. Pourtant, même en faisant appel à vos trois mille baladins, vous ne les soulèverez pas.

— On dirait que vous les avez portées, vous, monsieur.

— Une fois. Sur une courte distance. Je ne recommencerai plus.

Pour autant que je puisse le savoir, ces propos plaisants furent échangés au dessert. Puis un ange passa. Kochko alla préparer le café au percolateur. Faustine s'assit à côté de Chloé pour tâter ses boucles d'oreilles qui représentaient sept petites balles dorées, suspendues à des hauteurs différentes par des chaînettes. « Création d'un de mes amis bijoutiers », précisa la jeune fille. Bichon, pendant l'examen du bijou, débarrassa la table.

— Vous ne devinerez jamais qui est venu nous voir l'autre jour, dit Kochko en apportant les quatre tasses de moka sur un plateau de laque rouge.

— Est-ce quelqu'un que je connais ? demanda Chloé.

— Certes ! Puisque c'est votre employeur.

— Madame Karmatt ?

— En personne. Elle nous a rendu visite sans prévenir. Une femme très intéressante.

— Elle est montée à pied ? s'étonna Bichon qui s'intéressait au côté pratique des choses.

— Elle s'est fait conduire ici par le facteur et je l'ai ramenée plus tard à La Fourche avec le pick-up.

— Rainer était littéralement fasciné, intervint Faustine. Et je le comprends. Cette femme a le don de s'entourer de gens de valeur qui travaillent pour elle gratuitement.

— Elle est venue ici ! répétait Bichon qui peinait à imaginer l'austère directrice, toute corsetée de principes moraux et pédagogiques, buvant un canon de rouge avec un homme qui, de son propre aveu, avait côtoyé Satanas.

— Vous semblez très surpris, remarqua Faustine. Mais n'allez pas croire qu'elle se soit déplacée pour rien...

— Oh! Ce n'est pas le genre de la personne, renchérit Chloé en riant aux éclats. Si elle vous prête une allumette, c'est pour vous emprunter du feu! Que voulait-elle exactement?

— Que je développe l'athlétisme à l'institut.

— Vous avez accepté?

— Non. Il aurait fallu que j'y consacre tout mon temps.

— Vous avez dû la décevoir!

— Elle n'est quand même pas venue pour rien. Je lui ai proposé d'initier à la boxe les volontaires. L'idée lui a plu. Je commencerai dès que j'aurai reçu le matériel que j'ai commandé. À mes frais naturellement.

— C'est une excellente nouvelle, dit Bichon. Qui mieux que vous peut enseigner le jeu de jambes et la bonne tenue des poings? Ils auront de la chance, vos élèves! Avec vous comme entraîneur, je serais monté sur le ring au lieu de creuser des trous dans le sol. La mort va vite, mademoiselle. Le regret pousse une brouette chargée...

— Et si l'on dansait ? dit Faustine, coupant court aux envolées du fossoyeur qu'elle croyait dangereuses pour son esprit, alors qu'elles étaient la soupape de sûreté d'une angoisse plus ancienne que la raison.

Ils repoussèrent la table et les chaises contre les murs. Kochko mit un disque de Bob Marley. Chacun dansa selon son tempérament. Bichon, les oreilles rouges, la moustache en bataille et les bras levés comme pour un hold-up, piétinait un monstre invisible, hydre ou dragon, qui semblait lui brûler les pieds. En face de lui Chloé donnait l'impression de flotter dans la musique à la manière d'une liane ou d'une algue en suspension. Tout en ondulant sur place, elle observait du coin de l'œil les déhanchements plus voluptueux de Faustine qui était avantagée par son expérience de danseuse professionnelle. Kochko, bougeant à peine, marquait le rythme du reggae avec ses mains et souriait sous son chapeau de toile claire que, bizarrement, il avait remis pour danser.

Kochko donna ses premières leçons de boxe au début du mois de mai dans une salle de l'institut que Bichon avait badigeonnée au blanc de chaux. Un lundi matin, madame Karmatt m'appela à mon bureau pour m'inviter à découvrir sur place l'intérêt de cette « expérience pilote ». Le terme de pilote qu'elle martela à plusieurs reprises comme autant de coups de gong constituait selon elle le paratonnerre de toute innovation pédagogique. Je lui promis de m'en servir.

Ce n'était pas la première fois que je rencontrais un ancien sportif de haut niveau, mais je fus confondu par la disponibilité physique de cet homme, de trente ans plus âgé que moi, qui évoluait sur le tapis avec l'aisance d'un vieux tigre sans illusions. La salle d'entraînement qu'on lui avait attribuée était minuscule. Pour ne pas troubler la leçon, j'attendis dans le couloir et me contentai de passer la tête de temps en temps dans l'entre-bâillement de la porte. Kochko, je l'appris plus tard, avait refusé le truchement de madame Karmatt et communiquait avec les jeunes sourds par des mimiques personnelles qui n'avaient rien à voir avec le langage des signes. À en juger par la combativité dont faisaient preuve les élèves, ses conseils ne se perdaient pas.

À la fin de la séance, je me présentai au boxeur qui rangeait les gants et les casques de cuir dans une armoire. De près, son corps me sembla plus lourd, plus massif que sur le tapis qui servait de ring. Je me sentis soudain intimidé devant ce champion qui avait fait son temps mais qui aurait pu me mettre K.-O. d'une pichenette.

— J'en ai pour quelques minutes, me dit-il. Attendez-moi dehors, vous serez mieux.

À cette heure-là dans le parc un petit groupe s'initiait au diabolo avec la monitrice de jonglage. Je posai le magnétophone sur une table de pierre dans le coin le plus retiré. Je

204

plaçai une bande vierge, fis un essai de micro et enregistrai quelques pépiements d'oiseaux.

Kochko me rejoignit un quart d'heure plus tard. Il portait un costume clair, un chapeau léger, des espadrilles. Distrait par la démonstration de diabolo, il me fit répéter mon nom deux fois. Quand j'eus expliqué de nouveau le motif de ma présence, il sortit de la poche de son veston une feuille pliée en quatre qu'il tint à bout de bras comme font les presbytes.

— Madame Karmatt m'a parlé de cette interview. Apparemment elle y attache de l'importance puisqu'elle a préparé mes réponses. Voulez-vous que je vous les lise ?

— Si vous répondez directement, cela sera plus naturel.

Il replia le papier soigneusement et le remit dans sa poche. Il regardait au loin et semblait m'avoir oublié. Je commençai à comprendre qu'il me donnerait du fil à retordre et cela ne me déplaisait pas. À ma manière, moi aussi je suis un boxeur. Dans la catégorie des poids mouche naturellement.

— Vous êtes prêt, monsieur Kochko ?

— Que voulez-vous savoir ?

— J'aimerais connaître votre sentiment sur cette expérience pilote. Mais il serait bon que vous évoquiez d'abord votre carrière, ainsi que les raisons de votre installation à Pierrefroide. Ce sont des sujets qui intéressent les auditeurs.

— Ça tourne?

— Oui.

— Alors, arrêtez!

Il me regarda refermer le capot transparent du Nagra que je remis dans sa housse de cuir. Il alluma une cigarette et m'en offrit une. Je lui dis que j'avais arrêté de fumer depuis six mois et que je m'en portais mieux.

— Savez-vous ce que je ferais à votre place? J'interviewerais cette jeune fille là-bas. Elle a dix-neuf ans et un grand avenir à raconter.

— Merci pour le conseil. Je m'adresserai à cette personne un autre jour. Aujourd'hui c'est pour vous que je suis venu.

— Pourquoi? Qu'est-ce que vous cherchez?

À ce point de notre conversation, je compris que je n'obtiendrais rien de Kochko si je manquais de sincérité. Je tentai le tout pour le tout.

— Je n'étais pas né au moment de vos combats. Pour être franc, je ne connaissais même pas votre nom quand vous avez acheté Pierrefroide. Mais des bruits ont commencé de circuler et j'ai eu la curiosité de vérifier votre carrière. J'ai découvert qu'elle s'est achevée à New York à la veille d'un match qui semblait à votre portée. Vous avez quitté votre hôtel sans le dire à la réception. Le soir même votre manager, un Américain d'origine grecque, a déclaré à la police....

Il avait écouté mon exposé sans se détourner du spectacle des diabolos à l'autre extrémité du parc. Un seul montait très haut, retombait sur le fil et repartait aussi vite dans le ciel.

— Vous avez vu ce que fait cette Chloé? Magnifique, non? Faites-moi plaisir, ne me parlez plus de ma jeunesse. Un premier Kochko a mis au tapis quelques adversaires. Un deuxième a jeté l'éponge avant la victoire. Un troisième ou un quatrième, j'ai oublié, a échappé à la mort. Je pourrais allonger la liste. Mais à quoi bon? Ces gens-là, je ne les fréquente plus. Qu'ils me laissent respirer! Rangez votre appareil, je vous invite au Café du Globe...

— Si vous me refusez cet entretien, madame Karmatt sera déçue.

— Vous avez raison. Je vais faire mon devoir. Vous êtes prêt?

— Attendez! Le micro n'est pas ouvert.

— Ne me posez pas de questions. Je sais ce que j'ai à dire.

— Ça tourne!

— « Lorsque la directrice de l'institut des jeunes malentendants de La Fourche, toujours à la pointe de l'innovation pédagogique, m'a proposé d'initier à la boxe les volontaires de son établissement, j'ai mesuré tout l'intérêt de cette expérience pilote... Il arrive que de vieux boxeurs deviennent sourds, ici de jeunes sourds montent sur le ring... »

J'obtins une bobine entière de déclarations de cette farine, que je diffusai in extenso en les entrecoupant de chansonnettes. Mon émission provoqua la réaction désabusée des enseignants de l'institut, vexés de ne pas y figurer. « *Dans votre présentation partiale de l'institut, m'écrivit le professeur de français, porte-parole de ses collègues, vous donnez l'impression que la boxe et le jonglage sont les seules activités pratiquées par nos élèves, les seules qui seraient une réponse appropriée à leur handicap. Vous passez sous silence le travail au quotidien de notre équipe* » *qui se voit scandaleusement reléguée parmi les ombres.*

Veuillez agréer, Monsieur, l'assurance... »

Le professeur n'avait pas tort. Mais pouvait-il deviner que j'avais entrepris ce reportage dans le seul but d'approcher un homme qui m'intriguait ? À cette époque, je publiais tous les mois, dans un quotidien, le portrait d'un champion retiré des stades ou d'une célébrité que j'arrachais à sa retraite. De mon point de vue, le vieil athlète de Pierrefroide était un sujet idéal. Malheureusement, l'intéressé refusa d'évoquer pour moi un passé qui ne le concernait plus. Je changeai de stratégie. Désormais, quand on se rencontrait dans le village, j'évitais les questions personnelles. Et c'est ainsi que notre amitié commença.

— Depuis que vous ne me harcelez plus, je me sens en vacances, me lança Kochko en riant, un jour où nous étions attablés à la terrasse du Globe, notre café préféré.

— Je me suis converti à votre philosophie, répondis-je sur le même ton.

— Ma philosophie ? J'en aurais une ?

— Le *carpe diem.*

— Je n'en fais pas une théorie. Mais nous

sommes pour si peu de jours au pays des vivants...

— Une belle formule, dis-je. Je la mettrai en exergue dans l'article que je vais écrire sur vous.

— Comment ça ? Vous n'y avez pas encore renoncé ?

— Une pleine page avec une ou deux photos en couleurs ferait plaisir à votre compagne.

— S'il vous plaît, ne réveillez pas les démons.

Je ne sais plus si c'est ce jour-là ou le lendemain que Bichon dans sa tenue verte de cantonnier passa au large du café où nous prenions l'apéritif sous un parasol. Coiffé d'un bob qui portait le logo du syndicat d'initiative, il poussait une brouette pleine de branches coupées. Kochko lui fit signe de nous rejoindre. Il alla jeter les détritus dans un conteneur et vint s'asseoir à notre table. Le serveur au courant de ses habitudes lui apporta un panaché qu'il n'avait pas commandé. Il en but un tiers d'une lampée et s'essuya le front avec sa manche.

— Alors, cher ami, vous m'avez posé un lapin...

— Moi ?

— Vous étiez notre invité samedi. Faustine

vous a attendu. Elle avait préparé de la crème anglaise pour vous.

— C'est que, voyez-vous, je comptais venir... Mais le matin, mon programme a été changé... Bichon a dû partir dans la montagne... Je voulais vous téléphoner pour vous avertir, mais c'était très tôt, j'ai eu peur de vous réveiller...

— Où êtes-vous allé ?

— Au pic de la Sauve.

— Bigre ! Vous qui redoutez cet endroit !

— Vous avez raison.... Bichon n'aime pas ce coin. Mais Chloé voulait que je l'accompagne...

— Et vous ne pouvez rien lui refuser, naturellement...

Le visage rouge brique du cantonnier vira au mauve. Il ouvrit la bouche pour s'expliquer, ne trouva rien à répondre et baissa la tête sur son verre.

— J'ai appris que vous vous lanciez dans la photographie, poursuivit Kochko qui était en verve.

— C'est Faustine qui vous l'a dit ?

— Elle vous a vu rafler tous les appareils jetables chez le marchand de journaux.

— J'ai pris les quatre derniers !

— D'où vous est venue cette passion soudaine?

— Non, ce n'est pas une passion... Bichon n'est pas fou... Mais Chloé est tellement... tellement...

Il se rendit compte en parlant qu'aucune description de la jongleuse n'était possible. Tous les adjectifs qui lui venaient à l'esprit, « belle », « douce », « gentille », avaient déjà servi pour d'autres et, de ce fait, ne pouvaient convenir à Chloé. Il lui aurait fallu des mots neufs, inconnus, toujours différents, comme des apparitions sous la pluie, le passage d'un animal. C'était la raison pour laquelle, en dépit de son goût pour les conversations entre amis, il préférait photographier la jongleuse plutôt que d'en parler à la légère. Réussie ou ratée, chaque image était l'exception. Chaque photo était unique. Comme Chloé.

Il finit son verre d'un trait et ferma les yeux. Kochko respecta son silence, puis commanda une autre tournée.

Les amours de Bichon suscitaient les railleries de tous ceux qui auraient souhaité être à sa place. À présent, quand il plantait du gazon sur un rond-point, les jeunes gens qui passaient en cabriolet lui criaient : « À quand la noce ? » Le cantonnier s'essuyait le front et se remettait au travail en marmonnant. Pour rien au monde, il n'aurait posé une question aussi brutale à son amie – d'y penser, il en avait le tournis – mais il ne restait pas un jour sans retailler sa moustache et il avait choisi un costume bleu sur un catalogue de vente par correspondance.

Chloé n'était guère affectée par ce qui se disait d'elle à La Fourche. Non seulement elle s'affichait tous les jours avec l'employé intercommunal, mais elle resplendissait à son bras.

Le plus cocasse, ou le plus désolant (les deux points de vue coexistaient), était de la voir se poudrer, se mettre du rouge ou se passer les paupières au crayon noir quand elle attendait Bichon à la terrasse du Globe, sans se soucier du regard des hommes sur elle.

Un samedi soir, autour de minuit, deux apprentis d'un village voisin aperçurent la Peugeot rouge garée devant la Cabanette. L'un après l'autre, car l'espace était aussi exigu qu'un confessionnal, les jeunes gens entrèrent dans le jardin, grimpèrent sur le pot de fleurs et collèrent l'œil à une fente des vieux volets. Ce que les voyeurs aperçurent dépassa leurs espérances qui pourtant n'étaient pas minces. Assise en tailleur sur le lit, Chloé, la tête en arrière, les cheveux en cascade sur les épaules, examinait le plafond que le cantonnier lui montrait avec le manche d'un balai. Qu'y avait-il de si passionnant à observer? Les témoins n'en surent rien.

Au cours du printemps, la jongleuse partit souvent en excursion, accompagnée de son garde du corps qui portait les jumelles, les cartes, le sac, le thermos, la glacière, le podomètre, et serrait fermement dans la main

214

gauche – la droite tenant le bâton de marche – l'appareil de photo jetable destiné à immortaliser sa fiancée.

L'une de ces randonnées resta pour toujours dans la mémoire de Bichon comme le souvenir flou d'une extase. La sortie eut lieu le dernier dimanche de mai. Les randonneurs pique-niquèrent à Vermont, dans une châtaigneraie. Au-delà du petit bois, à flanc de coteau, un sentier courait à travers les genêts en fleur et se perdait dans les fougères. Il y eut des passages difficiles où les broussailles s'accrochaient aux vêtements, où le pied glissait sur des pierres plates, disjointes. Plus loin, ils furent arrêtés par un petit champ d'asphodèles qu'ils n'osèrent pas traverser pour ne pas briser les hampes fleuries.

C'était l'heure chaude. La lumière qui tombait en pluie dans les chênes s'émiettait en reflets mauves. Un arbre isolé retenait un cercle d'ombre sous son feuillage.

— Tu dois être fatigué de porter les sacs, dit Chloé.

— J'ai l'habitude.

— Asseyons-nous ici un moment. Cela ne te gêne pas si j'ôte ma robe?

Bichon était trop occupé à la regarder défaire la mince ceinture d'étoffe pour trouver à temps la réponse. Mais la jeune fille n'en avait cure. La robe d'été s'envola par-dessus les épaules nues et retomba en fantôme sur une branche. Bichon apprit de source directe que sa bien-aimée portait une culotte de coton blanc et un soutien-gorge du même tissu, ça ne s'invente pas ces choses-là.

Elle ouvrit son sac de sport, sortit cinq balles et commença de petits exercices d'échauffement. Bichon l'avait souvent vue jongler dans le parc de l'institut et il n'était plus surpris par la perfection de ses cascades. Mais cette fois le spectacle était pour lui seul, c'était une performance privée qui lui était offerte comme un cadeau, un moment qui lui appartiendrait à jamais.

— Je vais te prendre en photo pendant que tu jongles! dit-il soudain.

— Tu recherches la difficulté! répondit Chloé sans cesser de lancer et de rattraper les balles calmement.

L'œil gauche collé au viseur, le droit fermé, il tourna autour de son modèle, s'accroupit, se releva, se pencha d'un côté, de l'autre, essaya des prises de vue acrobatiques et il pressait l'appareil convulsivement quand l'image lui plaisait. Nullement dérangée par ce manège, la jongleuse se donna à fond pendant vingt minutes, puis elle s'assit sur un mouchoir en papier que Bichon déplia pour elle. L'odeur acide de son corps s'ajoutait au parfum crémeux qui l'enveloppait d'habitude.

— Tu crois que, moi aussi, je pourrais me déshabiller ?

— Qui t'en empêche ? demanda Chloé.

Il enleva sa chemisette bleue déjà tachée d'herbe et son tricot de corps à col ras, puis il déboucla la ceinture de son pantalon de toile kaki, le fit glisser sur ses hanches grasses et le retira en sautant d'un pied sur l'autre. Arrivé là, il contempla les vêtements jetés par terre et parut hésiter. Enfin le caleçon à petites fleurs qu'il avait acheté par correspondance avec cinq autres rejoignit le tas d'habits.

— Eh bien, mon vieux, tu te crois au paradis ? déclara Chloé en riant.

Et, comme il se tenait sur un pied, le visage en feu, et qu'il semblait s'inquiéter du sens caché de sa question, elle ajouta pour le rassurer :

— C'est vraiment ce que tu voulais, te mettre nu ?

— Je ne sais pas si Bichon le voulait mais je l'ai fait parce qu'une journée comme celle-ci, quand même je vivrais cent quarante ans, c'est une supposition, restera une belle journée.

Il s'assit sur sa chemisette près de Chloé et fixa le champ d'asphodèles...

J'ai eu l'occasion très récemment de regarder les photographies que le cantonnier conserve dans un album comme la preuve que Chloé a bien existé et qu'il a connu l'amour véritable. On y voit surgir dans une lumière excessive ou insuffisante, sous des angles morts, des parties quelconques d'un visage flou, mal cadré, approximatif, l'arrête probable d'un nez, une oreille granuleuse, un œil énorme qui pourrait représenter un des cratères de la lune ou une capsule de bière agrandie, alors qu'on distingue à la perfection un scarabée sur une feuille, l'étamine d'une asphodèle ou l'ombre bossue du photographe qui plie sous le poids des sacs à dos.

De ces nombreux clichés, plusieurs centaines, j'ai tiré quelques conclusions. Bichon, sans jamais chercher à se restreindre, réussissait le tour de force d'économiser chaque mois jusqu'au tiers de son salaire. Il fallait donc qu'il eût perdu la tête pour se livrer à des dépenses photographiques de grande ampleur. En ce qui concerne Chloé, l'énigme est entière. Se moqua-t-elle de Bichon comme beaucoup l'ont prétendu ? Je ne le crois pas. L'aima-t-elle par nostalgie, en souvenir d'un amour d'enfance perdu ? Cela se défend. À titre personnel, inspiré par une expérience analogue, je suggère que la dévotion de Bichon lui fut un soutien nécessaire et qu'elle eut plus de plaisir qu'on ne l'imagine à régner sur un amoureux qui ne pouvait en aucun cas la faire souffrir.

Après avoir hésité une semaine, j'écrivis un long article sur Kochko sans tenir compte de ses réticences. J'adressai mes feuillets au journal sous le titre « Le boxeur retiré du monde ». On était dans les premiers jours de juillet. Les compagnies de théâtre et les musiciens affluaient vers les festivals. Il y avait aussi les fêtes votives, les spectacles en plein air, les concerts et les bals de villages. J'étais débordé. Je trimbalais à travers trois départements des micros, des projos, des amplis et des haut-parleurs, et il m'arrivait quelquefois d'assurer la régie des « son et lumière ». Je ne me plaignais pas. En deux mois, je faisais le tiers du chiffre d'affaires de Milonga Sud.

Je me trouvais à Avignon lorsque mon article parut. Il tenait sur une page entière avec une photo en noir et blanc du jeune Kochko qui levait le poing droit sur un ring et une photo récente en couleurs que j'avais prise à son insu. En relisant mon papier rapidement, la pensée me traversa que j'avais commis une faute qui frisait la délation. Même si mon portrait était flatteur, je n'en avais pas moins trahi notre amitié.

Je passai le mois de juillet sans retourner à Pierrefroide. Je vivais dans un état de surexcitation continuelle. Manque de sommeil. Stress. Surmenage. Bière et vin blanc dans la journée. Alcools le soir. Une nuit, revenant ivre de Martigues, j'eus un accident sans gravité sur une bretelle d'autoroute. Confiscation du véhicule et permis de conduire retiré. Au sortir de la cellule de dégrisement, vers six heures de l'après-midi, je décidai de prendre des vacances. Et je rentrai chez moi en taxi.

Il y avait deux messages de Faustine dans mon répondeur. Le plus ancien datait du jour de la sortie de mon article. Elle approuvait mon portrait de Kochko, qu'elle jugeait « énigmatique et bienveillant, avec ce qu'il faut de profondeur pour donner envie de serrer le bonhomme dans ses bras ». Comme si elle avait eu besoin de moi pour l'aimer! Quant à Bichon, ajoutait-elle, il avait épinglé la page au-dessus de son lit et il la relisait matin et soir. C'est tout. Pas un mot sur la réaction du portraituré, ce qui était une indication.

Le second message avait moins d'une heure. La voix, toujours chaude et grave, était plus tendue.

— J'ai à vous parler, monsieur Milon. Passez me voir.

Je me servis une bière et cherchai les clés de ma seconde voiture dans les tiroirs de mon bureau. Une heure plus tard, j'arrivai à Pierre-froide au volant de la Twingo.

Faustine portait une robe de coton noir qui mettait en valeur sa peau laiteuse. Ses cheveux remontés sur la nuque à la va-vite par de petits peignes retombaient en pluie rousse sur les épaules. Au premier regard, je sus qu'elle n'avait pas dormi, qu'elle était à bout. Kochko avait disparu. Elle sanglotait dans mes bras. Je n'y comprenais rien. C'est dans la soirée seulement, quand elle m'eut répété son histoire cinq ou six fois, que je commençai à y voir clair.

Peu de temps après la parution de mon article, une Mercedes aux vitres teintées était passée au ralenti devant la maison, puis elle avait fait demi-tour et s'était arrêtée dans l'herbe en contrebas de la terrasse. Au bout d'un moment, le chauffeur et un jeune homme en complet noir, la cravate desserrée, sortirent de la voiture. La troisième personne resta dans l'auto mais baissa la vitre de la portière. Dans ses jumelles de chasse, Kochko examina le passager et le reconnut, semble-t-il.

— J'ai un petit problème à régler, dit-il à Faustine. C'est l'affaire de cinq minutes. Ne te montre pas.

Il descendit les marches de la terrasse et se dirigea de sa foulée souple vers la voiture. Faustine, à demi cachée par une jarre, s'empara des jumelles abandonnées et fit la mise au point sur les deux individus avec qui Rainer parlementait. Peu de gestes. Peu de paroles. Visages fermés. Soudain le jeune homme serra Kochko d'un peu près et se retrouva par terre, cherchant sa respiration. Le chauffeur recula de quelques pas. La portière arrière de la Mercedes s'ouvrit. Un obèse en chemise blanche, lunettes noires, rejoignit Kochko à qui il donna l'accolade. Palabres. Cigares. Négociations. Tapes sur le bras. Le grossissement des lentilles

224

amplifiait ce qu'il y avait de menaçant dans cette fausse convivialité. Enfin les inconnus retournèrent s'asseoir dans la voiture. Kochko revint seul.

— L'affaire est un peu plus délicate que je n'avais cru, dit-il en pénétrant dans la maison. Je vais devoir m'absenter quelques jours.

— Ces hommes ne me plaisent pas. Ce sont tes amis?

— S'ils l'étaient, ne les aurais-je pas invités à prendre un verre?

Ils s'embrassèrent longuement, debout dans la grande salle paisible, puis Kochko alla dans la chambre faire sa valise. Il empilait le linge avec soin, sans se presser. Faustine vit qu'il emportait cinq chemises fines et ses deux plus beaux costumes d'été.

— Je serai absent une semaine. Si, par extraordinaire, dans huit jours, je ne suis pas revenu, attends encore quarante-huit heures et téléphone aux gendarmes. Raconte-leur que je ne suis pas rentré d'une excursion. Ils me chercheront dans la montagne pendant trois jours, puis ils mettront en doute ton histoire et ils fouilleront la maison.

Ces mots alarmèrent Faustine qui fondit en larmes. Kochko s'efforça de la rassurer en lui racontant son premier combat qu'il avait gagné alors que les parieurs le donnaient perdant à huit contre un. « Ici, j'ai toutes mes chances, ajouta-t-il. Ce sont des amateurs. »

Faustine passa une semaine à côté du téléphone. Kochko ne l'appela pas. Le huitième jour elle me laissa le message dont j'ai parlé et je lui rendis visite. Je ne pouvais guère la renseigner sur les occupants de la berline ni sur les raisons qui avaient poussé Kochko à partir avec eux. Mais je m'accusais d'avoir attiré sur lui les ennuis en révélant le lieu de sa retraite. Il m'avait averti de ne pas réveiller les démons de sa vie passée. Je ne m'étais jamais senti aussi coupable depuis l'époque où j'avais transmis la grippe à mon grand-père qui en était mort.

Je revins chez moi, déprimé. La nuit suivante, Faustine, qui se retournait sur son lit sans pouvoir dormir, entendit du bruit dans la cuisine. Elle se leva et surprit l'homme de sa vie en train de casser des œufs dans une poêle. Elle se jeta à son cou. Elle pleura. Ils s'embrassèrent. Il lui dit que c'était fini, qu'elle n'aurait plus à trembler. Elle le trouvait amaigri et voulait savoir s'il avait été maltraité. Il ne répondit pas aux questions mais la souleva par la taille et la transporta sur le canapé, de l'autre côté de la pièce. Ils firent l'amour et parlèrent jusqu'au matin.

— Pour ne pas devenir folle, disait Faustine, j'ai pensé que ton départ était une mise en scène. Que ces hommes qui t'enlevaient étaient des acteurs.

— Tout est possible.

— Je préférais imaginer que tu m'avais trahie... que tu étais parti avec une femme plus jeune... Je me raccrochais à l'idée que tu étais heureux loin de moi... Rainer, je t'en supplie, promets-moi que ces individus ne reviendront jamais ici. Ni aucun qui leur ressemble.

Kochko jura sur la tête de Bichon qu'elle ne reverrait plus ces trois-là à Pierrefroide. Faustine n'insista pas. Désormais, entre elle et son compagnon, il y avait ce trou d'une semaine, auquel avait succédé une seconde lune de miel. En dépit de cette lacune (ou à cause d'elle), cet été-là fut à bien des égards une des plus belles saisons de sa vie. Le passé ne pesait rien, le présent était vaporeux, chaque matin l'avenir

227

suspendait à la Grande Roue son wagonnet encore vide.

Ce fut le temps des longues promenades, des séances de tir à l'arrière de la maison, des rires et des rituels préludant à d'autres plaisirs. Kochko se moquait des petites superstitions de Faustine et les traitait de « simagrées », catégorie fourre-tout qui englobait les merles blancs et les châteaux en Espagne. Parfois, au cours de leurs excursions dans la montagne, il désignait un rocher ou un pin en disant : « Tu n'aimerais pas que j'apparaisse ici après ma mort ? » Elle examinait l'endroit avec la prudence d'un démineur, puis se déplaçait de quelques mètres et déclarait très sérieusement : « Sous cet arbre ton fantôme serait à l'abri et je le verrais de plus loin. » Il lui donnait toujours raison.

Un soir, au retour d'une promenade dans les sous-bois, ils recueillirent une chatonne blessée à la patte, que Kochko baptisa Nuit de Chine en souvenir d'une aventure de jeunesse.

Faustine faisait des progrès à la carabine mais elle enfermait l'arme dès qu'elle entendait le cyclomoteur de Bichon. Et les jours heureux s'écoulaient, lisses, légers, rapides, tout imprégnés de l'odeur des forêts proches où Kochko entraînait souvent sa compagne, cette odeur humide de sève que diffusaient aussi les petits meubles qu'il se plaisait à fabriquer pour occuper ses mains oisives.

L'automne arriva, un automne doux et pluvieux, chatoyant et inspiré, en relation avec le réchauffement de la planète dont on parlait dans les journaux. Je n'avais plus de nouvelles de Kochko et je supposais qu'il y avait un froid entre nous. Mea culpa. Puis, un jour où je ne pensais pas à lui, je le rencontrai par hasard sur le parking du supermarché qui venait d'ouvrir à La Fourche. Il empilait des sacs de charbon de bois dans le pick-up lorsque je passai près de lui en poussant mon lourd chariot. Impossible de l'éviter. Je pensais qu'il allait me tourner le dos ou, s'il était vraiment fâché, m'adresser une remarque désagréable, mais il me serra la main sans la broyer et me demanda pourquoi je ne venais plus à Pierrefroide où Faustine me réclamait.

— C'est-à-dire que... cet été... avec tous les festivals... Et puis, je ne savais pas comment vous aviez reçu mon petit article sur vous...

— Pas si petit que ça. Un éloge sur cinq colonnes ! C'est une statue que vous me dressez !

— Je suis heureux que vous le preniez bien. Vous ne m'aviez pas donné votre accord...

— C'est le moins qu'on puisse dire. Mais vous avez été l'instrument de la destinée ! Grâce à vous, les démons sont rentrés chez eux plus vite qu'ils n'auraient voulu. Vous êtes libre dimanche ?

Je revins donc à Pierrefroide par une journée morne et glaciale où le vent du nord qui soufflait depuis la veille donnait au ciel des reflets de vieil étain. J'eus la surprise de trouver Bichon et Chloé, mais aussi madame Karmatt, sirotant des apéritifs devant le feu pendant que Kochko posait les assiettes de hors-d'œuvre sur la longue table. Le repas fut assez joyeux, la conversation débridée comme il se doit. La directrice nous fit part de ses démêlés administratifs, le fossoyeur eut quelques bouffées de délire et l'ambitieuse Chloé bénéficia de la prime de confiance réservée à la jeunesse. Je m'exprimais peu, faisais de fréquents emprunts aux bouteilles et cherchais à « me mettre au diapason » des autres convives. Qui n'a pas connu la sensation d'être isolé dans une cage de verre pendant que les autres dansent dessus ne saura pas de quoi je parle. Soudain, on était déjà au dessert, je fus frappé par la métamorphose de Faustine. Dans sa robe de velours vert sombre à fines bretelles, avec les bijoux qu'elle avait suspendus à ses bras, à son cou et dans ses cheveux comme une vendange d'ex-voto, elle écrasait de son opulence baroque la beauté primesautière de sa rivale. Mais ce triomphe de l'automne sur le printemps n'était pas l'origine de mon malaise. Jusque-là, j'avais regardé l'ancienne chanteuse comme une lionne évoluant dans le territoire de Kochko. Sa sensualité et son charme, mais son énergie aussi bien, étaient liés à cette protection dont elle jouissait aux yeux de tous. Or, un renversement s'était produit. Sans rien perdre de sa superbe, le roi lion avait choisi de se retirer dans son antre et laissait à sa compagne le soin de rayonner dans un monde auquel il ne semblait plus attaché. Le terme d'antre, cela va de soi, se réfère à quelque zone d'ombre du sentiment interdite aux visiteurs plutôt qu'à une pièce particulière de la maison.

Il se trouva que Kochko, après le café, descendit à la cave chercher un carafon de mirabelle. Je me levai pour l'accompagner sous prétexte de voir comment il avait rangé ses grands crus, car il y a plusieurs théories. Il ne fut pas dupe de cette curiosité et prit le taureau par les cornes dès qu'il eut refermé la porte derrière nous.

— Qu'est-ce qui vous chiffonne, Milon ? J'ai bien vu pendant le repas que vous n'étiez pas dans votre assiette. Je n'y suis pour rien, j'espère ?

— J'ai eu une semaine difficile, dis-je. Mon entreprise est dans le rouge.

— Vous devriez faire de la boxe pour évacuer le stress. Venez ici vous entraîner. Je vous donnerai des conseils. Il ne manque rien, regardez !

Il pressa le commutateur qui éclairait un coin de l'ancienne bergerie aménagé en salle de musculation et de boxe. Sans prendre la peine d'enfiler des gants, il se mit à frapper le punching-ball du plat des deux mains avec une vélocité que j'admirai.

— Est-ce que vous avez la nostalgie de vos anciens matchs ? demandai-je un peu bêtement.

— Des combats, non, mais du jeune monstre que j'étais, cela va de soi.

— J'ai de la difficulté à croire que vous avez été ce que vous dites.

— Une brute et un artiste dans le même corps, comment appelez-vous cet attelage?

Il éteignit le projecteur, choisit un carafon dans un casier et ajouta en revenant vers moi :

— Vous êtes jeune. Vous ne savez pas qui sera votre tombeur ni combien de rounds il lui faudra pour vous démolir. Voulez-vous que je vous apprenne son nom?

— Si vous lisez dans le marc de café...

— Ce ne sera pas nécessaire... Le Temps, voilà le champion qui vous accule dans un coin et vous met K.-O. Le jour où il se dresse devant vous, il ne vous laisse aucune chance.

Quand on remonta de la cave, Bichon faisait des histoires pour sortir son harmonica dont il prétendait ne tirer que trois ou quatre airs. L'insistance de Chloé eut raison de cette coquetterie. Il joua une mélodie fameuse que personne ne reconnut puis accompagna de quelques accords véhéments la belle Faustine qui chantait un des succès de son répertoire :

Faut ce qu'il faut pour faire un monde
Des parties carrées et des rondes

Le pays des vivants

Des filles qui roulent leurs bas
Et d'autres qui pleurent tout bas
Pour une femme qui se bat
Combien répugnent au combat
Pour une qui se dévergonde
Combien de filles pudibondes
Faut ce qu'il faut pour faire un monde

Faut du soleil sur les clairières
Toujours démarrer en première
Et quand l'autre ne nous voit pas
Souvent lui voler son repas
Pour un qui revient sur ses pas,
Combien redoutent le trépas
Quand l'un aperçoit la lumière
Pourquoi l'autre reste en arrière
Faut du soleil sur les clairières

Faut ce qu'il faut pour faire un monde
Des parties carrées et des rondes
Etc.

Tous les matins, Kochko courait autour de la maison pendant une heure. Les pluies diluviennes de la fin octobre l'en empêchèrent. Enfin, le temps se leva. Il y eut une matinée lumineuse où la seule vue du ciel bleu au-dessus du Fer-à-Cheval donnait des envies de s'enfoncer dans la montagne et d'aller toucher la neige là-haut.

Faustine raconta plus tard que Kochko avait renoncé à son footing ce matin-là, sans donner de raison particulière. Lorsque le soleil atteignit le coin de la terrasse, il tira un fauteuil entre les jarres et se plongea dans la lecture d'un petit livre que lui avait prêté madame Karmatt. Je crois savoir qu'il s'agissait d'une biographie de l'abbé de l'Épée, l'inventeur de la langue gestuelle.

Une heure passa. Faustine faisait du rangement dans la grande salle. Nuit de Chine somnolait sur un coussin. Soudain la voix de Kochko s'éleva : « Ah non ! Ça suffit maintenant ! » À qui parlait-il puisque la chatte était près du feu ? Faustine ouvrit la porte par curiosité. Tout juste si elle eut le temps de voir l'homme de sa vie dévaler les marches de la terrasse et filer à toutes jambes comme pour rattraper un intrus qui aurait pris la fuite. Le fauteuil était renversé, la brochure par terre. Mais le plus déconcertant, c'était ce sprint inopiné. D'ordinaire, avant d'adopter une foulée de marathonien, le vieil athlète s'échauffait par des étirements de tout le corps et de petits sauts sur place. Or il avait jailli comme un coureur de cent mètres et il s'éloignait sous les arbres sans ralentir. Faustine passa un châle et se précipita sur la route, mais Kochko avait disparu. Alors elle coupa à travers la bruyère et grimpa sur des rochers d'où elle aperçut, déjà très loin et en plein effort, la haute silhouette qui se détachait sous la lumière. Il n'y avait personne devant lui et personne ne le suivait.

Et le temps passa. Dix minutes. Un quart d'heure. Un autre quart d'heure. La perplexité

236

de Faustine se changea en inquiétude. Depuis quelques semaines, Rainer avait des difficultés pour respirer à certains moments. Un soir, à l'heure de se coucher, il s'était trouvé à court de souffle et il était resté longtemps debout, haletant, les mains appuyées à la table. Plus tard, il avait pris ce malaise à la légère.

Faustine revint vers la maison et trompa son attente en scrutant l'espace dans les jumelles. Au début de l'après-midi, elle repéra un marcheur qui se déplaçait rapidement en direction du Fer-à-Cheval. Kochko, si c'était lui, grimpait vers le col. Il semblait aller très vite et il était seul.

Je partais en week-end quand Faustine me téléphona. Je n'avais aucun moyen de la rassurer sinon de lui rappeler les ressources physiques du vieux champion et la connaissance qu'il avait de leurs limites. Si l'envie lui avait pris de courir dans la montagne, c'est qu'il en était capable, il fallait lui faire confiance. Elle me donna raison.

Vers cinq heures, le vent se leva, des bancs de nuages apparurent à l'horizon, l'air sentit la paille moisie. Partagée entre l'angoisse et la colère, Faustine tenta de rejoindre en scooter le sentier des crêtes, fut arrêtée par des rochers et renonça.

Au retour elle reconnut de loin, sur la terrasse, la silhouette de Kochko effondré dans un fauteuil. Elle abandonna le scooter et courut vers l'escalier.

— J'appelle quelqu'un.

— Non... Reste avec moi...

Sa voix était faible, méconnaissable, son visage crispé par la douleur, mais il souriait comme un enfant qui a réussi un joli coup sans tenir compte des règles et qui est persuadé que sa faute, si c'en est une, lui sera vite pardonnée. Faustine lui déboutonna la chemise, lui essuya le front, le déchaussa. Ces gestes ne suffirent pas à le soulager. Il suffoquait, ses yeux se troublaient, il allait de plus en plus mal, le temps pressait, mais il avait encore la force de la retenir par la robe et il semblait avoir une nouvelle importante à lui apprendre si bien qu'elle hésitait à le quitter.

— Tu sais, Faustine... J'ai touché la neige...

— Tu me raconteras plus tard!

Le pays des vivants

Il lui avait lâché la main. Elle partit téléphoner au docteur qui abandonna immédiate-
ment ses consultations. Lorsqu'il arriva en
moto à Pierrefroide, cela faisait plusieurs
minutes que Kochko avait roulé au pied des
jarres.

Bichon ratissait les allées de l'institut quand madame Karmatt apprit la mort de Kochko. Elle convoqua le cantonnier dans son bureau, le fit asseoir et lui annonça la nouvelle le plus délicatement qu'elle put. Il n'eut aucune réaction.

— C'était votre ami, lui dit-elle. Je comprends votre chagrin. Ne le gardez pas sur le cœur.

Immobile au bord de sa chaise, impénétrable et silencieux, Bichon s'était mis à tordre dans ses gros poings le bonnet de laine qu'il avait posé sur ses genoux. Soudain il secoua la tête violemment comme il aurait fait pour se débarrasser d'une guêpe dans les cheveux. La directrice fit le tour de son bureau, s'approcha de lui et lui mit la main sur l'épaule avec une grande douceur.

— Vous n'êtes pas seul. Dites-moi ce que vous pensez.

Il lui jeta un regard effrayé, puis il tourna la tête vers la fenêtre et marmonna d'une voix à peine audible :

— S'il fallait repeindre une grille ou changer une serrure, vous faisiez appel à Bichon. Il vous écoutait. Il ne savait pas que vous étiez une menteuse !

— Malheureusement, je vous ai dit la vérité. Cela réclame beaucoup de courage de votre part...

— Kochko, s'il l'avait voulu, aurait pu être champion du monde ! Sauf le respect que je vous dois, ce n'est pas quelqu'un comme vous qui pourra le faire mourir. Ça alors, si on m'avait dit que vous racontiez des bobards !

Tandis qu'il parlait lentement, en cherchant ses mots, avec plus d'application que de véhémence ou de force, ses oreilles généralement cramoisies devenaient blanches comme quand le sang se retire du visage. Madame Karmatt alla prendre un flacon dans une armoire, versa quelques gouttes d'alcool de menthe sur un sucre et le donna à croquer à son factotum. Bichon sentit les longs doigts maigres effleurer ses lèvres sèches. Il laissa le sucre fondre dans sa bouche avec délice. La raison de cette becquée demeurait obscure. Pourquoi lui donnait-on un remontant? Il leva les yeux vers la femme silencieuse et il sut que son visage ne mentait pas.

Il se précipita hors du bureau en poussant un cri que les enfants n'entendirent pas, mais qui fit tressaillir leurs professeurs et tétanisa madame Karmatt.

Sur le perron, des élèves revenaient de la piscine. Bichon les écarta avec les bras, courut vers son cyclomoteur dont il retira l'antivol et se rendit à Pierrefroide. Chloé pleurait sur l'épaule d'une Faustine aux yeux secs, vêtue de sombre. On le conduisit dans la chambre éclairée par une veilleuse. Il y flottait une odeur qu'il n'aimait pas. Puis il vit la forme inerte sur le grand lit, le corps colossal et paisible, incapable de mouvement. Son dernier espoir se brisa. Il cria aux deux femmes qui se tenaient derrière lui qu'il ne fallait pas compter sur Bichon pour creuser le trou, il n'enterrait pas les amis.

Debout, le bonnet serré dans le poing, il resta deux minutes dans la chambre et il repartit à folle allure dans les lacets, toujours en criant qu'il fallait s'adresser à d'autres pour faire le sale boulot, qu'il ne mangeait pas de ce pain-là. L'histoire dit qu'il traversa La Fourche en brûlant plusieurs feux rouges et que ses hurlements ameutèrent les garçons de cafés et les commerçants.

Dans la soirée, Bichon fut aperçu dans la gare de Mende, après quoi l'on perdit sa trace pendant quarante-huit heures. À l'aube du troisième jour, des agents de sécurité s'approchèrent d'un homme qui délirait dans la salle des pas perdus de la gare Saint-Charles à Marseille.

— La mort va plus vite que le T.G.V., leur déclara-t-il. Attention au départ! Éloignez-vous du bord du quai! Prenez garde à la fermeture automatique des portières! C'est Bichon qui vous le dit et il s'y connaît. Kochko était plus fort que vous trois ensemble. Ce n'est pas un chien dressé à l'attaque comme le vôtre qui lui aurait fait peur. N'empêche qu'il est parti sans son chapeau, ce qui prouve que, là où il est, il n'y a pas beaucoup de soleil. Allez-y! Fouillez-moi! Faites-moi les poches! Qu'est-ce que vous

cherchez? Un couteau? Un cutter? Un colt?
Les armes de poing de Bichon, c'est la pioche,
la pelle et le grand râteau. Mais attention!
Qu'on ne lui demande pas de pousser au trou
un ami.

Après ces déclarations et quelques autres du
même tonneau, les vigiles conduisirent le déli-
rant vers la sortie et lui conseillèrent de rentrer
chez lui cuver son vin. Il descendit vers le
Vieux-Port. On était à quelques semaines de
Noël. Des électriciens montés sur des plates-
formes installaient des décorations dans les
rues. Du trottoir il leur prodigua des conseils
à titre gratuit et passa son chemin. Rue du
Paradis, les mannequins dans les vitrines
racontaient la vie de Bichon. Sa naissance
miraculeuse. Sa jeunesse. Ses amours. Ses
aventures. Sur la Canebière, il boxa un Père
Noël qui ne voulait pas annoncer dans son
porte-voix la mort de Kochko. La police
l'arracha à l'attroupement et le conduisit au
service d'urgence de La Timone.

Tandis que Bichon était hospitalisé à Marseille, on enterrait son meilleur ami au cimetière de La Fourche. Du jour au lendemain Faustine se retrouva seule, sans soutien et sans avenir, dans un paysage qui lui rappelait les grandes heures de son amour. Beaucoup pensèrent, comme moi, qu'elle ne supporterait pas l'isolement de Pierrefroide et plierait bagage. Sur ce point, madame Karmatt fut plus clairvoyante. « Vous êtes jeune, monsieur Milon, me dit-elle avec un pincement de lèvres condescendant, un soir où je lui avais fait part de mon opinion. Votre connaissance du cœur humain se limite à vos amourettes. On ne comprend rien au malheur des autres si on n'y met pas du sien. Faustine ira jusqu'au bout de ses sentiments. Elle nous étonnera. »

Il faut croire que ce sont les personnes à qui la vie ne sourit pas qui la comprennent le mieux. Une fois encore, cette femme austère, rude, sans grâce, se révéla intrépide dans ses jugements, prophétique même. Non seulement Faustine décida de rester à Pierrefroide mais elle tira de sa solitude et de son deuil la vaillance qui lui avait manqué jusque-là. C'était comme si Kochko en disparaissant lui avait transmis son élan, son humour, son sens du combat et cet art précieux de l'esquive qui permet de garder intactes ses forces pour une meilleure occasion. Oui, maintenant qu'il n'était plus là, elle se sentait digne du vieux champion.

Il est vrai qu'elle était ramenée à lui continuellement par les affaires qu'il avait laissées, les habits et les objets qui étaient les siens, les nombreuses reliques de sa présence, de sorte qu'elle ne pouvait se déplacer dans la maison sans réveiller des souvenirs. Tout au long de ces lentes journées d'hiver que nul incident ne venait rompre, la vue d'une paire de gants de boxe ou d'un fauteuil vide, le vaste peignoir suspendu près de la douche, le silence des repas et jusqu'à l'odeur du café ou l'écroulement d'une bûche sur des tisons ravivaient les émotions liées à d'autres journées plus intenses, plus lumineuses. Il y avait la chatte qui miaulait derrière la porte et son maître ne lui ouvrait pas. Il y avait le punching-ball immobile au fond de la cave qui attendait la venue d'un partenaire. Il y avait l'écharpe de soie blanche, toujours accrochée à la patère, qui gardait dans ses longs plis quelques atomes d'un parfum qui lui faisait encore tourner la tête.

La neige, cet hiver-là, arriva tardivement mais en abondance. En février, la route de Pierrefroide resta impraticable pendant deux semaines. Empêchée de se rendre au cimetière, Faustine décida que l'esprit de Rainer était présent dans tous les lieux où elle-même se trouvait. Un matin, elle se mit au volant du pick-up et fuma une cigarette en regardant à travers le pare-brise les flocons qui tourbillonnaient. Le soir, en se déshabillant devant la glace de la chambre, il lui sembla que Kochko était derrière elle, dans l'ombre, et qu'il souriait. Dès lors elle ne se laissa plus arrêter par son absence, elle se persuada que Rainer pouvait surgir à tout moment et résoudre à sa place tous les problèmes, elle lui parlait à mi-voix, sollicitait ses avis, recevait ses conseils par l'intermédiaire des rêves et riait tout haut des plaisanteries qu'il lui adressait de l'autre monde.

Un matin l'été arriva. Le premier été sans Kochko. Pluie de lumière. Tremblement de l'air chaud à l'horizon. Mirages. Réminiscences. Alors les nouvelles impressions qui envahissent Faustine dès le matin en réveillent de plus anciennes. L'odeur âcre de l'herbe sèche restitue des scènes de pique-niques. La halte d'une libellule sur ses cheveux retient le rire de Kochko dans une étincelle. Le bourdonnement des insectes les conduit tous deux vers un ruisseau que Bichon leur a montré. Et cette buse au corps énorme, une femelle probablement, qui chasse comme l'an dernier dans le pré devant la terrasse juste avant le crépuscule. Ah! Si Rainer était ici, il aurait déjà sorti les jumelles.

Et les nuits, les nuits claires, frêles, bruissantes, les nuits poreuses de juillet, comment admettre que Rainer, où qu'il soit, n'en jouisse pas? Et s'il était là, invisible et présent, entre les jarres? Ou là-bas, à côté de cet arbre mort qu'il aimait ? Ou plus loin encore, sur la route, en train de faire les cent pas, cigarette aux lèvres, comme chaque fois qu'elle rentrait en scooter et que la nuit était tombée. Rêve éveillé ou baliverne, certains soirs où l'atmosphère s'y prêtait, elle croyait sentir la présence fantomatique de Kochko comme on perçoit de l'électricité dans l'air avant un orage quand on marche en haute montagne, mais elle disait avoir les plus grandes difficultés pour entrer en contact avec lui et elle attribuait cet échec à la grossièreté de ses sens ou à sa propre distraction.

Une nuit elle fut réveillée vers trois heures, par le sifflement du vent sous la porte. Ce n'était pas un gémissement violent comme en hiver lorsque le mistral impose sa loi, c'était une brise tiède et composite, qui sentait l'herbe, le torrent, l'écorce de pins. Elle se garda d'éclairer mais consulta la montre de Kochko qui possédait des aiguilles phosphorescentes d'un vert de chenille et une trotteuse effilée comme une patte d'araignée. Rien n'avait arrêté la ronde absurde, la trotteuse tournait toujours dans sa prison, elle faisait pour rien le tour du cadran, infatigable et inutile.

Trois heures donc, l'heure profonde de la nuit. Faustine a l'intuition qu'un événement se prépare. Elle passe un ample chandail de Kochko par-dessus sa courte nuisette et sort sur la terrasse. Au même instant, elle entend un bruissement inhabituel. Le vent a fait lever une colonne de poussière et de feuilles sèches, qui dévale les marches d'ardoise comme une personne de grande taille, à l'allure souple et sportive. Faustine s'immobilise. La colonne qui tourbillonne traverse le pré et vient s'adosser contre un arbre.

Faustine s'appuie à la balustrade et crie :

— Pourquoi t'éloignes-tu quand je m'approche ? Qui t'empêche de rester à côté de moi ?

Pas de réponse.

À son tour elle descend lentement l'escalier et marche vers le revenant. Quand elle est à une dizaine de mètres de l'arbre, la colonne s'envole et se pose plus loin. Les morts, comme les oiseaux et les bêtes sauvages, ont une distance de sécurité que les vivants ne peuvent enfreindre.

Ce fut tout pour cette nuit-là et ce fut beaucoup, m'a dit Faustine.

Au début du mois d'octobre, Bichon réapparut sur la place centrale de La Fourche, devant la poste. À peine descendu de l'autocar, il se présenta à la mairie pour recevoir les instructions, sans se douter que son retour à la santé compliquait la trésorerie des cinq communes. Il écouta la secrétaire lui exposer le casse-tête administratif engendré par sa maladie, protesta qu'il était guéri et que, tant qu'il y aurait des personnes qui jugeraient bon de mourir, on aurait besoin de Bichon pour creuser des trous. À l'appui de son point de vue, il tira de sa poche un article découpé dans un magazine. C'était un reportage sur l'embaumement en Amérique, un pays à la pointe du libéralisme funéraire, qui n'a pas renoncé pour autant à mettre en terre les défunts, même si, de plus en plus, s'impose l'urne que l'on vide d'un hélicoptère dans la campagne, une mode qui enrichit les pilotes diplômés mais qui ruine les fossoyeurs. Ayant donné son opinion sur un sujet de société trop rarement abordé, il se rendit au cimetière avec sa brouette et il nettoya les allées où poussait déjà le chiendent. Devant une tombe récente, qu'il n'avait pas creusée lui-même, il retira son bonnet neuf et demanda pardon à Kochko. « Bichon s'est mal comporté, lui dit-il. Il aurait dû vous mettre en terre. C'était son devoir. Mais il a eu peur que son trou ne soit pas assez bien pour vous... »

Il resta une bonne heure à dialoguer avec l'absent et ces minutes de piété furent tout sauf du temps perdu, puisqu'il quitta le cimetière la tête haute et le cœur soulagé, sinon consolé. Lui aussi, à l'instar de Faustine, se sentait le dépositaire d'une force qui ne lui appartenait pas mais que le champion disparu avait léguée à tous ceux qui l'avaient aimé sans réserve. Un exemple ? Le soir même, au Café du Globe, un malin, pour l'embarrasser, lui demanda s'il avait nagé avec des starlettes pendant son congé. « Les deuils ne sont pas des vacances, répondit-il sans se troubler. Bichon n'a pas pris du bon temps, il a visité les grands salons du funéraire pour sa formation continue. C'est un domaine où il y a toujours à apprendre. »

Le farceur resta sans voix.

Un matin la radio annonça une tempête de neige pour le soir. Bichon passa la matinée à poser des sacs de sel sur tous les ronds-points de La Fourche. À midi, il ne changea pas ses habitudes et déjeuna chez lui d'une boîte de sardines en écoutant le Jeu des Mille Euros. Au-dessus de son jardin de la taille d'un pot de fleurs, le ciel avait pris des reflets d'argenterie qui ne présageaient rien de bon. Pour comble de malchance, les questions du jeu étaient difficiles, le candidat répondait de travers et le présentateur lui-même, avec une gentillesse sans faille, se sentait obligé de le mettre sur la voie, quand il ne laissait pas la salle souffler carrément la réponse! Cependant, au moment du banco, Bichon qui se régalait de saucer l'huile des sardines avec de la mie de pain, ne put s'empêcher de crier, en direction du transistor, qu'ils exagéraient! « Ils », c'était les responsables de la radio, des pervers qui choisissent des questions impossibles pour économiser les euros. Si vous n'avez pas fait le voyage à la capitale et si vous souffrez d'insomnies, allez répondre à une colle comme celle-ci : « Quel écrivain français, né et mort à Paris, a-t-il commencé son œuvre principale par ces simples mots : *Longtemps je me suis couché de bonne heure?* »

Pour marquer sa mauvaise humeur, Bichon refusa d'écouter les cours de la Bourse, mais la curiosité autant que le sens du devoir le poussèrent à remonter le volume du son au moment des quatre tops. Il ne le regretta pas. Le journal de treize heures de France-Inter commençait par une alerte météo concernant le sud de la France. Le spécialiste du temps à la station expliqua aux auditeurs qu'il fallait s'attendre à des précipitations exceptionnelles. Pluies et orages sur le littoral. Neige à partir de deux cents mètres. Les personnes qui n'étaient pas dans l'obligation de se déplacer étaient priées de rester chez elles.

Bichon en savait assez. Il se prépara du café à la machine et le but debout, face à la fenêtre, en se demandant si Faustine était au courant des intempéries annoncées. Pour s'en assurer, il téléphona à Pierrefroide et laissa un message sur le répondeur après le signal sonore.

L'après-midi il déchargea les derniers sacs de gros sel et il se rendit à l'institut. À travers la haute grille, il aperçut le parc désert et le bâtiment dont la grande porte et les volets étaient fermés. On avait décroché les balançoires et les agrès. À l'évidence, toutes les précautions semblaient avoir été prises dans l'attente de la tempête. Bichon demanda au gardien par l'interphone si l'on avait besoin de lui. On lui répondit que non. Il s'éloigna.

À ce moment-là, il était quatre heures environ, le ciel ne se voyait plus, la lumière grise, impalpable, arrivait on ne savait d'où, les premiers flocons voletaient à travers les bois et fondaient sur les buissons.

Le cantonnier ne fut pas surpris d'apercevoir le scooter de Faustine garé contre le mur du cimetière, le casque posé sur la selle. Depuis la disparition de Kochko, elle venait se recueillir sur la tombe presque tous les jours. Bichon, marmonnant dans sa moustache, attendit qu'elle eut fini pour lui faire la leçon.

— Vous n'avez pas entendu la radio ? C'est l'alerte rouge !

— Je me dépêche de rentrer, dit-elle en mettant son casque.

— Ne retournez pas là-haut ! Vous serez bloquée pendant une semaine.

— Où voulez-vous que j'aille ?

— Venez chez moi. J'installerai un lit de camp dans la cuisine. Vous prendrez ma chambre.

— Ne vous inquiétez pas. Je me débrouille très bien seule et j'ai assez de provisions pour soutenir un siège.

Quand Faustine avait décidé quelque chose, personne à part le fantôme de Kochko n'aurait pu l'en détourner. Sa seule concession fut de promettre qu'elle appellerait Bichon deux fois par jour. Si le téléphone fonctionnait ! À bout d'arguments, il lui recommanda la prudence sur la route et la regarda s'éloigner. Maintenant les flocons tombaient en faisceaux serrés et restaient collés au sol.

Il neigea toute la soirée et une grande partie du lendemain. Bichon passa deux jours à répandre du sel et à dégager des pas-de-porte. Du matin au soir, il courut avec sa pelle derrière les engins de déblaiement et, souvent, de vieilles personnes qui le connaissaient depuis l'enfance l'appelaient d'une fenêtre et le chargeaient d'une commission en lui lançant un panier au bout d'une corde. Même dans ses moments de repos, il n'avait pas le temps d'écouter son émission préférée ni de faire la sieste sous son plafond, car le téléphone sonnait, il recevait des appels de la secrétaire de mairie ou d'un des adjoints, quand ce n'était pas madame Karmatt qui lui demandait un service. Et son cœur était agité. D'un côté il était fier de se savoir aussi indispensable qu'un facteur ou un boulanger; de l'autre il partageait avec la population un sentiment d'accablement devant l'étendue des dégâts. Et si le déchaînement du ciel avait duré quarante jours et quarante nuits comme pour Noé?

À l'institut régnait une atmosphère de drame polaire et de surexcitation. Sous le poids de la neige accumulée, la coupole de la piscine avait cédé, une pluie d'éclats de verre s'était abattue sur la tête des nageurs. Aucun n'était blessé sérieusement mais il fallait soigner les égratignures et calmer les spasmophiles. Madame Karmatt se trouvait dans le parc au moment de l'effondrement de la verrière. De sa vie elle n'avait eu une telle peur et c'est elle qu'il aurait fallu réconforter. Au lieu de cela, elle avait dû rassurer les enfants, appeler les pompiers, le maire, les parents, répondre aux questions des gendarmes et d'une équipe de France 3, etc.

Le troisième jour, le soleil se leva sur un paysage silencieux. On apercevait çà et là des arbres couchés dans la neige et des pylônes abattus, mais il n'y avait pas eu de victimes. D'où le soulagement des habitants de La Fourche qui avaient appris par la radio que d'autres régions étaient plus dévastées.

Bichon concentra d'abord ses efforts sur les trottoirs à déblayer et sur l'entrée de l'institut. Puis il ajusta son bonnet, boutonna sa peau de mouton et partit à l'aventure. Autour de midi, il traînait avec sa pelle dans une allée du cimetière lorsqu'il s'aperçut que deux jeunes sourds, le petit Simon et un autre, conduisaient un boiteux vers la tombe de Kochko. Qu'un voyageur vînt se recueillir dans ce lieu désert, en dehors de la Toussaint, c'était inhabituel, mais que la personne eût choisi d'affronter la tempête pour accomplir ce pèlerinage, voilà qui ajoutait encore au mystère.

— Vous avez trouvé la tombe que vous cherchiez? demanda-t-il.

— C'est un homme que je cherchais, pas une tombe.

— Hé! Il arrive que l'un n'aille pas sans l'autre!

Il n'en fallait pas plus à Bichon pour se mettre à parler de lui-même et de son métier, mais aussi de Kochko, de Faustine et de Pierrefroide. L'inconnu écoutait ces propos en tournant la tête pour qu'on ne voie pas son visage. C'était une bizarrerie supplémentaire. Dès que l'individu eut repris la route en lacets, Bichon rentra chez lui et téléphona à Faustine pour lui annoncer le visiteur.

— Comment est-il votre bonhomme? demanda-t-elle sans s'émouvoir.

— Ni grand ni petit. Brun. Mal rasé. Il tire la jambe.

— Quel âge?

— Dans les quarante ans.

— Qu'est-ce qu'il me veut?

— C'est pas un bavard. Mais j'ai idée qu'il a connu Kochko il y a longtemps et qu'il vient de loin.

Après avoir raccroché, Bichon commença de fouiller les cartons où il rangeait les photos découpées dans les magazines. Quelque chose le tracassait. Cet homme qui voulait rencontrer Kochko, pourquoi cachait-il son visage? Craignait-il d'être reconnu? Un homme célèbre peut-être? Un acteur de cinéma? Un habitué de la Croisette? En même temps qu'il examinait les images jaunies, le cantonnier s'efforçait de se souvenir d'une confidence du vieux champion, qui l'aurait mis sur la voie.

Excité par la recherche d'un indice, il s'affaira sous la lampe jusqu'à une heure du matin et il s'endormit sur sa chaise, la joue sur la table. Le froid le réveilla. Il se leva en grelottant et alla se coucher sous l'édredon. À son réveil, la solution de l'énigme lui apparut dans sa simplicité lumineuse. En dissimulant son visage, l'inconnu n'avait pas cherché à cacher sa notoriété, mais sa ressemblance avec le défunt. C'était le fils de Kochko! Le fruit de son aventure chinoise! Voilà pourquoi cet homme venait de si loin et pourquoi il s'était recueilli devant la tombe. Maintenant qu'il y repensait, Bichon se souvenait que le boxeur, interrogé par mademoiselle Delamenthe le soir du 14 juillet, avait reconnu avoir des enfants.

Bichon estima qu'il n'avait pas le droit de garder sa découverte pour lui seul. Il cessa le travail au début de l'après-midi, chaussa ses raquettes de marche et se rendit chez Faustine qui repoussa sa nouvelle lubie par de grands éclats de rire.

— Vous êtes incorrigible! Qu'est-ce que vous allez encore chercher? Je vous ai dit que j'ai regardé ses papiers. Il s'appelle Jean Martinez.

— C'est le nom qu'il m'a donné, mais qu'est-ce que ça prouve?

— Cela prouve qu'il n'est pas le fils de Rainer et d'ailleurs il ne lui ressemble pas.

Bichon revint de Pierrefroide, doublement déçu. Il n'avait pas revu l'étranger et Faustine repoussait ses arguments. Madame Karmatt qui connaissait son factotum mieux que personne ne tarda pas à remarquer sa nervosité. Elle le prit à part et le fit parler. Il raconta à sa façon la rencontre faite au cimetière. La directrice tenta d'extraire la parcelle de vérité enfouie sous les commentaires, un exercice délicat.

— Est-ce lui qui s'est présenté comme le fils de Kochko ou l'avez-vous découvert par vous-même, à cause d'une ressemblance?

— Oh! Il s'est bien gardé de me le dire. C'est un homme qui se cache. Pas facile de voir son visage. Et pas bavard non plus. J'ai idée qu'il fuit quelque chose. Peut-être des personnes mal intentionnées. Sauf qu'on ne trompe pas Bichon comme ça. J'ai les yeux en face des trous! C'est le fils que Kochko a eu d'une Chinoise. Nous étions là, Faustine et moi, quand il en a parlé à mademoiselle Delamenthe. Naturellement, il porte un autre nom.

— Comment s'appelle-t-il?

— Jean Martinez.

— Et vous dites qu'il habite à Pierrefroide?

— C'est normal puisque Faustine a été la dernière amie de son père.

— Vous croyez qu'il pratique la boxe lui aussi?

— Cela se pourrait.

Madame Karmatt n'en demanda pas davantage. Elle avait d'autres soucis. Noël approchait. Elle comptait sur la soirée du réveillon pour effacer le souvenir de la tempête, mais elle était à court de trésorerie. Une fois encore elle fit appel à ses bienfaiteurs au rang desquels elle avait le cynisme de me placer. Je me rendis à l'institut afin d'installer moi-même des lumières et des enceintes tout autour de la grande salle. Comme je circulais librement dans les couloirs pour tirer des câbles, je cédai à la tentation de revoir la pièce où Kochko avait donné ses leçons. Elle servait de vestiaire et de débarras. Un crève-cœur.

— Quel dommage que la salle de boxe soit fermée, dis-je à la directrice venue m'apporter, en même temps qu'une madeleine rassise sur une assiette, le sévère soutien de sa présence et de son autorité.

— Je cherche le remplaçant de Kochko depuis six mois, soupira-t-elle. Je l'ai peut-être trouvé sans sortir de la famille. Il paraît que son fils vit chez Faustine. Reste à savoir s'il a hérité des qualités sportives de son père!

En quelques mots, madame Karmatt me rapporta la rencontre faite par Bichon au cimetière et la présence à Pierrefroide de l'étranger. Il n'en fallut pas davantage pour me rendre jaloux de l'heureux mortel qui, selon moi, n'en déplaise au cantonnier, avait succédé à Kochko dans les bras de Faustine.

Je dus attendre le dégagement de la route par un engin à chenilles avant de pouvoir me rendre à Pierrefroide. Plusieurs jours s'étaient écoulés. Le temps était froid et gris. La neige qui fondait dans la journée gelait la nuit, si bien que des rails de glace s'étaient formés aux endroits exposés au vent. Privé du permis de conduire, je roulais assez prudemment, ce qui ne m'empêcha pas de glisser une fois ou deux.

À l'instant où j'arrivai en vue de la terrasse, j'aperçus de dos un homme mince, de taille moyenne, qui gravissait l'escalier en boitant et s'engouffrait dans la maison. Voilà au moins une personne à qui ma visite déplaît, pensai-je en me garant le long d'une haie.

Faustine était en train de raccourcir les manches d'un costume de drap feuilles mortes que j'avais vu porté par le vieux boxeur. Elle abandonna son travail et m'accueillit sans manifester ni contrariété ni joie excessive. J'acceptai une demi-tasse d'un café brûlant qui me fit regretter le moka fameux de Kochko. L'inconnu ne se montra pas. Il me semblait pourtant qu'il nous écoutait derrière la porte.

— Je suis venu vous transmettre une invitation de la part de madame Karmatt pour le réveillon de Noël, dis-je d'une voix forte, en reposant la tasse vide.

— Il s'agit probablement d'une invitation à faire partie des membres bienfaiteurs ?

— Je vois que vous connaissez la directrice aussi bien que moi. Vous ne serez donc pas étonnée qu'elle m'ait chargé d'une autre mission : trouver un nouveau professeur de boxe.

— Ce ne doit pas être facile !

— Elle suppose que votre hôte pratique ce sport... s'il est bien le fils de Kochko...

— Mais il ne l'est pas ! Si maintenant elle se met à croire tout ce que raconte Bichon !

Ici j'aimerais pouvoir soutenir que l'irritation soudaine de Faustine me parut louche et me mit sur la voie de découvrir la véritable identité de l'homme que j'avais entrevu. En réalité, aveuglé par la jalousie, je crus qu'elle le protégeait contre les curiosités du village, par crainte des plaisanteries et des ragots que susciterait la révélation de ce nouvel amour. Avec le recul, je me dis que mon manque de flair m'a peut-être sauvé la vie.

Je quittai Pierrefroide bredouille et déconcerté. Au premier rond-point de La

Fourche, j'aperçus le cantonnier qui brisait une plaque de verglas. Peu désireux de subir son bavardage, je pris le large. Comment aurais-je pu deviner qu'à cette heure-là il était la seule personne, après Faustine, à savoir que l'homme qu'elle logeait était recherché pour un meurtre ? Il avait fait cette découverte au cours de son déjeuner, en mastiquant un sandwich à la sardine. Près de son assiette, il avait posé un journal. Or, à la page des faits-divers, une photo en noir et blanc, de la taille d'une carte à jouer, présentait l'inconnu du cimetière, rasé de près, entre deux képis. Bichon éclata de rire. Il ne s'était donc pas trompé. C'était bien un homme célèbre qui vivait à Pierrefroide ! Maintenant il allait connaître son vrai nom. Paul-Quentin Wolfe. Trente-neuf ans. Condamné à huit ans de détention pour des attaques à main armée. A tué un vigile au cours de son évasion. Dange-reux.

Bichon ne riait plus. Cette fois le fils de Kochko s'était mis dans de sales draps. Que faire ? Avertir sur-le-champ Faustine ? Non. D'abord demander conseil à madame Kar-matt. C'est elle qui déciderait.

Bichon découpa la photographie, l'empocha comme une preuve de sa bonne foi et partit pour l'institut. On ne saura jamais comment aurait fini la cavale du meurtrier si la directrice avait été là. Nul doute que, pour protéger ses pensionnaires, elle eût appelé aussitôt la gendarmerie. Dans cette hypothèse, les hommes du G.I.G.N. auraient cerné le hameau et probablement attendu la nuit pour intervenir sans mettre en danger la vie de Faustine qui pouvait être une otage. Le hasard voulut que, ce jour-là, la directrice participât à une rencontre de spécialistes de la surdité à Paris.

Bichon rangea la photo dans son portefeuille et resta seul avec son secret. Peut-être que si j'avais pris le temps de m'arrêter au premier rond-point de La Fourche, il me l'aurait confié.

Pendant que les habitants de la Fourche réparaient les dégâts de la tempête et que les guirlandes de Noël faisaient leur apparition sur la place de la mairie, le prétendu Jean Martinez, devenu sous le nom de Paco l'amant de Faustine, attendait d'être guéri de son entorse pour quitter Pierrefroide où il ne se sentait pas en sécurité. Au-delà du hameau en ruine, il n'y avait que des sentiers étroits qui grimpaient dans la montagne. Si, par malheur, il devait fuir à l'improviste, il n'aurait aucune chance d'échapper à ses poursuivants qui disposeraient de chiens et d'hélicoptères.

Certes, dans l'immédiat, ses inquiétudes n'étaient pas fondées puisque tout lui avait réussi. À part le fossoyeur et deux très jeunes sourds-muets, personne dans le village ne l'avait vu. Il était donc peu probable que quelqu'un fît le rapprochement entre sa venue et l'évasion sanglante dont la presse avait parlé. Néanmoins on savait qu'il était là, menant une existence retirée, et cette discrétion à la longue ne pouvait qu'attiser la curiosité et la méfiance.

Un soir où il resserrait le bandage de sa cheville, assis sur son lit, Faustine monta sur le toit de la maison et releva l'antenne renversée par l'intempérie. C'était l'heure du journal télévisé. La porte de la chambre était ouverte. Soudain Paul-Quentin, alias Paco, entendit le présentateur déclarer : « La polémique s'amplifie à propos de la surveillance des prisonniers dangereux. Deux semaines après la mort d'un jeune vigile renversé volontairement par un détenu en fuite, le ministre de l'Intérieur a fait savoir que les recherches se poursuivaient sur toute l'étendue du territoire et qu'un nouveau portrait du criminel serait diffusé dans les jours qui viennent. Par ailleurs un numéro de téléphone est à la disposition du public... »

— Arrête ça !

Il avait jailli en hurlant dans la grande salle. Par chance, la pièce était vide. Après avoir mis en marche le téléviseur, Faustine était allée choisir le vin qui accompagnerait les brochettes du repas, car elle se piquait à présent, non de s'y connaître, mais d'être guidée par la main invisible de Kochko.

— Pourquoi tu as crié tout à l'heure? demanda-t-elle quand elle revint de la cave.

— Je me suis heurté à la porte, dit-il en ramenant à lui la bande Velpeau qui s'était accrochée à un pied de chaise.

— Tu marches trop. Ton entorse n'est pas guérie.

Il reconnut que Faustine avait raison et, les yeux dans les yeux, lui promit de s'installer désormais dans le fauteuil de Kochko et de n'en plus bouger jusqu'au jour de l'an. Ce fut le premier des mensonges grossiers qu'il débita pour cacher son plan véritable, établi depuis longtemps, qui consistait à gagner au plus vite l'Espagne d'où il embarquerait vers l'Amérique du Sud. Tandis que Faustine lui décrivait les promenades et les randonnées qu'ils feraient à la belle saison sur les traces du vieux boxeur, il attendait que ses forces soient revenues pour prendre le large sans l'annoncer.

Je crois que ma venue inopinée à Pierrefroide précipita sa décision. Après mon
départ, il voulut savoir qui j'étais. Faustine
commit l'erreur de me présenter comme un
journaliste de la région, celui-là même qui
avait écrit l'article à l'origine de sa venue.
Cette précision n'était pas de nature à le rassurer. Il imagina que j'étais un fouineur qui ne
manquerait pas d'enquêter sur lui.

Depuis quelque temps il se taillait la barbe
en collier et il appliquait du gel sur ses cheveux pour se rendre méconnaissable. Le soir
qui suivit ma visite malencontreuse, il laissa
entendre pendant le souper que c'était pour
Faustine qu'il avait adopté sa nouvelle coiffure
et il lui demanda si elle l'aimait. Elle hésita
avant de répondre que oui, les cheveux pla-
qués en arrière lui allaient bien, mais cela
changeait son visage et, de face du moins, on
aurait pu le prendre pour cet acteur américain
– elle avait le nom sur le bout de la langue –
qui jouait toujours les faux jetons et finissait
mal par conséquent.

— Il faudra que tu t'y habitues, dit-il en
riant jaune.

Il poursuivit sa mystification tout au long
de la soirée, allant jusqu'à énumérer les tra-

vaux de maçonnerie qu'il entreprendrait au printemps, à commencer par la construction d'une tonnelle sur la terrasse. Faustine, il m'en coûte de l'écrire ici, se laissa abuser par ces paillettes. Il est vrai qu'elle voyait en Paco l'homme qui avait sauvé Rainer autrefois et son double rajeuni. On ne comprendrait pas la détermination dont elle fit preuve par la suite si on négligeait les nostalgies que cet amour de récidive avait réveillées. Commencée dans le rire et la gratitude, sa passion s'était exacerbée en quelques jours. Tout en gardant Pierrefroide comme pied-à-terre, elle rêvait de voyager avec cet homme encore jeune. Et même de reprendre sa carrière de chanteuse !

Cependant, au cœur de la nuit, le sentiment confus d'une anomalie la réveilla. Elle avança la main vers son compagnon et sentit que la place était vide. Elle éclaira : le costume feuilles mortes qu'elle avait eu tant de mal à raccourcir, avait quitté le valet de pied. Le tiroir d'un petit meuble rococo où elle gardait les clés du pick-up était ouvert.

Il y eut des bruits au fond de la maison : le déplacement d'une chaise, des pas étouffés traversant la grande salle, le verrou de la porte d'entrée qu'on débloquait. Puis le silence retomba. Impossible de s'y tromper. Paco l'abandonnait. Paco filait à l'anglaise. Et ce n'est pas elle qu'il trahissait de la plus odieuse façon, c'était Kochko. Ce que le fuyard reniait, ce qu'il quittait sans une parole d'adieu, c'était le pays des vivants où Kochko l'avait accueillie et qu'elle avait espéré partager à nouveau avec le premier venu.

Elle ouvrit la penderie où étaient rangées ses robes de scène, sortit la carabine de son étui, récupéra le chargeur sous des lainages, emporta le tout dehors. Le ciel luisait, la nuit était froide et tenace. Paco, englouti dans la canadienne de Kochko, manœuvrait le pick-up à la main pour le sortir du garage sans faire de bruit. Il était si occupé à pousser le véhicule qu'il ne prêta pas attention à la silhouette qui l'observait de la terrasse. Quand il eut traversé en boitillant une partie du terre-plein, il se rendit compte qu'il ne parviendrait pas à franchir la montée qui aboutissait à la route. Il s'installa au volant et tourna la clé de contact. Le moteur démarra au troisième essai. Paco passa la première et embraya. À cet instant, la cabine du pick-up, à peine éclairée par les étoiles, se présenta sous l'angle le plus favorable. Faustine enclencha le chargeur de la carabine d'un coup sec comme Kochko lui avait appris et tira dans le pare-brise, une seule fois.

Plus tard, au juge d'instruction qui la mit en examen, Faustine précisa qu'elle avait été étonnée – ce sont ses paroles mêmes : « J'ai été étonnée » – de voir la camionnette s'éloigner sur la route en traçant des zigzags de lumière rouge. Entraînée au tir par Kochko, elle était sûre d'avoir fait mouche et s'attendait à voir le pick-up basculer au fond d'un ravin, ce qui n'eut pas lieu.

Après avoir traversé le pare-brise, la balle tirée de la terrasse avait pénétré dans le poumon gauche du conducteur. Malgré la gravité de sa blessure, Paul-Quentin dirigea son véhicule à travers les lacets de Pierrefroide sans quitter la route. Il franchit le premier rond-point de La Fourche, passa à vive allure devant la maison de Bichon (lequel déclara avoir reconnu dans son sommeil la camionnette de Kochko et avoir cru que le défunt se livrait à un rodéo d'outre-tombe), traversa le village désert et, tenant le volant d'une main, comprimant sa poitrine de l'autre, il gagna la nationale, puis l'autoroute.

Comme il arrivait au péage, les premiers flocons commencèrent de tournoyer. C'était une neige molle, mouillée, qui ne tenait pas sur la chaussée et fondait sous les essuie-glaces. Il y avait peu de trafic, seulement quelques camions espagnols qui s'en retournaient au pays. Peut-être les regarda-t-il avec envie ou peut-être que, déjà, l'envie appartenait au pays qu'il avait quitté. Il fit trente kilomètres environ et en aurait fait sans doute beaucoup plus si le pick-up n'était tombé en panne sèche entre deux aires de service. On ne peut pas penser à tout.

Il laissa le véhicule sur la bande d'arrêt d'urgence et continua à pied. Il parcourut une distance considérable pour un homme dans son état. D'après les traces dans la neige, nous savons qu'il vomissait du sang en quantité et qu'il titubait. Les flocons tourbillonnaient devant ses yeux et rétrécissaient son champ de vision. L'espace autour de lui était blanc ou gris. L'horizon avait disparu. Nul souffle de vie. Rien que la sensation du froid humide sur les épaules, la saveur violente du sang remontant au fond de la bouche, la nuit qui tombait en plein jour, le silence comme de la glace qui prend et l'angoisse d'être plus seul que sur le pont des bateaux en mer de Chine, plus seul qu'en prison ou devant ses juges, seul comme le petit garçon effrayé qu'il avait été, l'enfant puni qui avait tenté de s'évader contre tout espoir et marchait dans la neige vierge, sans rencontrer âme qui vive.

C'est le printemps depuis ce matin. À voir le ciel, la boue et l'herbe rare, on ne le dirait pas. Hier je me suis rendu à Pierrefroide. Bien que je n'aie pas encore le droit de conduire, j'ai pris le volant et je suis parti sur l'étroite route sinueuse. Je me suis arrêté à tous les endroits où la vue était dégagée. Je me suis mis à la place du vieux boxeur. J'ai tenté de voir le paysage avec ses yeux, de partager ses sensations, de deviner ce qu'il a aimé la première fois qu'il a découvert la montagne au côté de Bichon. Qui était-il ? Quelles fautes laissait-il derrière lui ? Était-il aussi libre de son passé que son insouciance le laissait croire ? Ces questions qu'il a toujours su éviter ne seront jamais résolues. Et c'est mieux ainsi.

Quand je suis arrivé là-haut, dans le milieu de l'après-midi, des éclairs se succédaient sans interruption au-dessus du Fer-à-Cheval. Le ciel menaçait. J'ai caché l'auto sous les arbres, à cinq cents mètres de la maison, et j'ai continué à pied. La terrasse donnait l'impression de ne plus servir. Les volets étaient fermés. J'ai cru un instant que Faustine était partie. Mais une fumée pâle s'échappait de la cheminée.

Il ne m'est pas facile d'expliquer pourquoi je n'ai pas osé frapper à la porte. Je suis un homme compliqué. Souvent les gestes les plus naturels me sont interdits, les mots qu'on attend de moi, je les garde au fond de la gorge. Ainsi, au lieu de me comporter en ami, j'ai rôdé autour de la maison sans me montrer. Qu'est-ce que j'espérais ? Que le temps ferait marche arrière et que Kochko sortirait au bras de Faustine ?

Je suis revenu en courant vers l'auto dès que l'orage a commencé. Une trombe d'eau s'est abattue sur le pare-brise. J'ai laissé passer le gros de l'averse avant de partir. En m'engageant au ralenti dans la première épingle à cheveux, je me disais que j'avais gâché ma journée et j'étais mécontent de moi, ce qui n'était pas une première.

Et puis la vision a surgi à un tournant. Un tableau réel, pas une hallucination. Sous la pluie encore battante, j'ai vu une buse sur un poteau. Hautaine, paisible, immobile, elle attendait pour se mettre en chasse le moment où l'orage s'éloignerait, où les bestioles qu'elle dévore referaient surface. J'ai coupé le contact et me suis approché en roue libre de l'oiseau. Il a tourné la tête vers la voiture, a jugé qu'il ne risquait rien tant que la portière ne s'ouvrirait pas et il a repris sa position avec dédain. Est-ce à cause de son port de tête qu'il m'a fait penser à Kochko?

J'ai laissé la buse à son affût et je suis rentré chez moi où le clignotement du téléphone me signalait un message sur le répondeur. Faustine! «Je vous ai aperçu cet après-midi. Qu'est-ce que vous faisiez? Pourquoi n'êtes-vous pas passé à la maison? Suis-je une pestiférée?»

C'est madame Karmatt qui a raison. Ma connaissance du cœur humain est limitée. Moi qui croyais que Faustine ne tenait pas à me revoir! Je me suis trompé encore une fois, mais elle aussi. Car la pudeur m'a retenu, non le mépris ou les préjugés. Demain je retournerai à Pierrefroide et je parlerai à Faustine. Si je lui annonce ma venue, j'ai idée qu'elle cherchera dans ses malles une de ces robes de scène qui plaisaient tant à Kochko.

Cet ouvrage a été imprimé par

FIRMIN DIDOT
GROUPE CPI

Mesnil-sur-l'Estrée

*pour le compte des Éditions Grasset
en août 2005*

Imprimé en France
Dépôt légal : août 2005
N° d'édition : 13843 – N° d'impression : 72793
ISBN : 2-246-62051-1